中越から東日本へ

震災復興とその未来

はじめに

社団法人中越防災安全推進機構理事長　東京大学名誉教授　伊藤　滋

3・11東日本大震災、私はテレビの映像にわが目を疑い、息をのみました。東日本沿岸部を広範にわたって蹂躙（じゅうりん）する大津波と、わが国社会の根幹を揺るがす原発災害。今回の大震災は、私の専門とする都市計画や防災計画の根本を揺さぶりました。7月初めには私も岩手県の津波被災地に足を運びましたが、ただ絶句でした。

地震から半年、原発被災地でも津波被災地でも先の見えない事態が続いていますが、津波被災の市町村においては懸命な震災復興計画策定の作業が行われています。復興計画では防災計画、都市計画の根本が問われており、パラダイムシフト（枠組み転換）が求められています。しかし、パラダイムシフトとは、これまでの震災復興、災害復興で蓄積された知識、人材、技術、ノウハウなどの財産を否定することではありません。優れた財産はさらにブレークスルー（現状打破）させなければなりません。私は、１９９５年1月17日の阪神・淡路大震災と２００４年10月23日の新潟県中越地震の震災復興に深く関わりました。二つの震災復興で得られたものの中からブレークスルーさせていくものは何か。

阪神・淡路大震災では、私は、2月16日に発足した7人の委員からなる政府の「阪神・淡路復興委員会」に委員の一人として参画しました。この大震災では、現に目の前に存在し、次々と立ち現れるさまざまな課題にスピードをもって立ち向かう必要がありました。委員会は2月から10月の間に三つの意見具申と11の提言を行いました。政府は明確な方針を示す必要があり、私はこの委員会は、復興の初期のけん引役としては大きな役割を果たしたと自負しています。しかしながら、この大震災の復旧・復興の過程で目を見張ったのが、ものすごい「民力」のエネルギーでした。多数の市民、学生、研究者、会社員らが被災地にかけつけ、多方面で被災者支援を展開しました。そのなかから「自助・共助・公助」、特に「共助」と「協働のまちづくり」が時代と社会のキーワードとなりました。

新潟県中越地震の激甚被災地は、過疎高齢化が進行していた中山間地であり、大都市被災の阪神・淡路大震災の被災様相とは全く異なるものでした。そして、震災復旧・復興の主目的は中山間地集落の維持・再生・活性化でした。中越地方の中心都市の長岡市には私の教え子たちがおり、彼らは地震直後から被災者支援、復旧・復興に向けた活動を積極的に展開していました。私は彼らから報告を受けるとともに、地震翌年の豪雪明けから現地に足を運び、新潟県知事や長岡市長とも会談を重ね、2006年に設立された社団法人中越防災安全推進機構の理事長に就任して中山間地復興に取り組んできました。

中越地震の震災復興では、阪神・淡路大震災で生まれた「自助・共助・公助」の中でもとりわけ重要な「共助」がコミュニティ主体で展開され、「協働のむらづくり」が展開されました。大地震等の大災害は時代の流れを加速します。中越地震から7年、被災中山間地の人口は4割減となり高齢化率も上昇しました。しかし、疲弊はしていません。集落の人々と外部からの支援者との「協働」により、集落の人々の外部社会への関心が高まり、地元資源の再評価・発掘・磨き上げ等により生き生きと活動する集落が増えています。中山間地の資源を山と都市とで「共助」により「共有（シェア）」する動きは確実に広がっており、これはわが国の他地域の中山間地に対して一つの方向性を示していると思っています。

しかしながら、阪神・淡路大震災も新潟県中越地震も、今回の大震災からみれば局地震災でした。被災のものすごさ、複雑さ、広がりは桁違いです。ですが、阪神・淡路大震災から中越地震に引き継がれた「自助・共助・公助」の精神としくみ、「協働のまちづくり」は今回の大震災ではより深く、より広範に展開される必要があります。私が目指すのはまさにそこであり、本書が関係各位に活用されることを願うものであります。

２０１１年９月

目次

はじめに……3

復興はいつ　被災地からの報告……11
1がれきの山／2「中越」の経験／3離れ離れ／4コミュニティー／5寄り添う／6行政の機能不全／7支援員導入／8集団移転

中越地震からの復興における震災から3年半の中間支援組織の活動とその変遷……45
～中越復興市民会議と復興デザインセンターの事例から～
社団法人中越防災安全推進機構　復興デザインセンター長　稲垣文彦

ふるさと再生　**山里の行方**　小千谷・東山の6年……65
1激減／2愛郷／3閉園／4再編／5闘牛／6交流／7模索

ふるさと再生　**帰村の向こうに**　山古志のいま……95
1再編／2独居／3空室／4農業／5交通／6支援／7活力

ふるさと再生　**絆生かして**　震源地川口の模索……125
1変化／2決意／3刺激／4苦闘／5期待

伝えたい　中越・中越沖から……147
再生へ希望失わず　体験者3人に聞く（旧山古志村長、衆院議員・長島忠美さん、ボランティア・高砂春美さん、新大大学院教授・相沢義房さん）／災害福祉広域ネットワーク「サンダーバード」・小山剛代表理事／新潟医療福祉大・宇田優子准教授／多世代交流館「になニ〜ナ」・小池裕子副代表理事／中越防災フロンティア・青木勝副理事長／小千谷の遺族・星野武男さん／救急救命士・渡辺裕伸さん／長岡市国際交流センター・羽賀友信センター長／県立精神医療センター・和知学院長／長岡技術科学大・上村靖司准教授／ＮＰＯ法人「にいがた災害ボランティアネットワーク」・李仁鉄事務局長／小千谷市十二平集落元住民・鈴木重男さん／減災・復興支援機構・木村拓郎理事長／新潟県中越大震災「女たちの震災復興」を推進する会・樋熊憲子代表／長岡造形大・復興支援センター・沢田雅浩センター長／建物修復支援ネットワーク・長谷川順一代表
中越の知見生かそう　取材記者座談会……213
阪神・淡路、中越、東日本、そしてその向こうに……233
社団法人中越防災安全推進機構　長岡震災アーカイブセンター長　平井邦彦
あとがき……257

復興はいつ

被災地からの報告

傷痕はなお深い。それでも、被災者たちは前を向き、少しずつ歩み出した—。未曽有の被害をもたらした東日本大震災から3カ月に合わせて、新潟日報は6月に被災地のルポ連載を展開した。3カ月たっても大震災の被災地にはがれきの山が残り、多くの被災者が避難所での生活を余儀なくされていた。将来展望がなかなか見いだせない中、あきらめずに立ち上がる被災者たちのために、中越、中越沖地震という2度の震災の経験、ノウハウを生かすことはできないのか。その先の復興はいつになるのか。新潟県から見た被災地の現状、課題を伝えた（肩書、年齢は新聞掲載当時のまま）。

復興はいつ1　がれきの山

不明者発見へ続く祈り
神社再建　かすかな光「潮の香り戻ってきた」

東日本大震災の津波で、甚大な被害を受けた宮城県名取市閖上（ゆりあげ）地区。11日で本震から3カ月を迎えるが、同地区では今なお行方不明者を捜す警察官がいた。集落を見渡せる「日和山」と呼ばれる高さ約6メートルの小高い丘では、行方不明の同級生が見つかることを祈る女性の姿もあった。海岸部にあるがれきの山は、日和山の高さを優に超えていた。

◇　◇

同地区の会社員大友博美さん（50）は10日、家族の思い出の品を探すため、津波で土台だけになった自宅跡を訪れた。「無いと分かっていても来てしまう」。家族は全員無事だったが、隣人を津波で失った。近くに住んでいた男性はまだ見つかって

いない。

警察庁によると同日現在、東日本大震災の行方不明者は8095人。阪神淡路大震災の死者6434人を超える人数が見つかっていない。

中越地震の本震3カ月後は、全村避難した旧山古志村が復興計画に村民の意見を反映させるため、集落別の座談会を開始した時期だ。行方不明者は、長岡市妙見町の土砂崩れ現場から2歳の男児が救出されてゼロになった。本震4日後のことだった。

名取市では118人の行方が分かっていない。閖上地区では宮城県警が名取川の河口やがれきが残った住宅の中で不明者を捜し続ける。ここ1週間、同地区で3人の遺体を発見したという。

警察が捜索をする脇の自宅跡で大友さんは言った。「集落のみんなが戻るのなら戻りたい。でもここでの再建は無理だと思う」。集落では集団移転の話も出始めている。

大友さんは今、両親と市内の仮設住宅で暮らす。時間があれば自宅跡を訪れる。

周囲の家を撤去する重機の音と、トラックの音だけが響く。前向きになるような槌音（つちおと）は聞こえてこない。大友さんには、将来の閖上の姿が見えてこない。

しかし、わずかに復興に向けた動きが出始めた。手作りの慰霊碑が立っている日和山に9日、津波で流された富主姫（とみぬしひめ）神社が再建された。小高い丘が閖上の復興を目指すシンボルとなっている。

「これまで明るい話題が無かったから良かった」と大友さん。「ずっと泥の臭いが漂ってたけど、3カ月

行方不明者を捜す宮城県警。いまだに多くの住民が見つかっていない＝2011年6月10日、宮城県名取市閖上（撮影－本紙取材班・佐藤尚）

たって大好きな閖上の潮の匂いが戻ってきた」。大友さんは大きく息を吸い込んだ。

（本紙取材班・高橋渉）

（2011年6月11日）

復興はいつ2 「中越」の経験

官民つなぎ避難所支援
ニーズ察知 サロン開設も

福島・郡山市

福島

郡山市

まだ、車いすには慣れない。「今も、あんなのうそだべ?と思ってるんですけどね」。川端英二さん(32)は、ぼんやり遠くを見やった。

福島県郡山市のビッグパレットふくしま。同県富岡町と川内村などの千人近い被災者が、段ボールの間仕切りの中で寝泊まりする。東日本大震災で県内最大の避難所だ。

富岡町の海岸近くに住んでいた川端さんは、母と車で逃げる途中で津波に巻き込まれ、下半身まひになった。警備員の職を失い、故郷は福島第1原発の20キロ圏内。行き場がない。「自分は3月11日で時が止まっている」。力なくつぶやいた。

◇ ◇

避難所が約2カ月で解消された中越地震と対照的に、今回は3カ月たっても閉鎖のめどが立たない避難所が多い。

「原発事故で先が見えない。時間が止まっている」。ビッグパレットで福島県庁支援チームのアドバイザーをする中越防災安全推進機構（長岡市）の稲垣文彦さん（43）は、川端さんと同じ感想を漏らす。

「中越地震はまとまって避難できたが、今回はみんなばらばらで、役場も移転した。全体を見る人が誰もいない。自分たちが官民のつなぎ役になりたい」と稲垣さん。中越地震の経験から「避難者をつなぐ場、サロンが必要」と提案し喫茶コーナーを設けた。

福島県最大の避難所「ビッグパレットふくしま」。段ボールで仕切られたスペースから顔を出し、話をする被災者＝2011年6月11日、郡山市（撮影＝本紙取材班・高橋渉）

同支援チームの天野和彦さん（52）は「サロンなんてうまくいくのかと半信半疑だったが、喫茶店勤務経験のある避難者がマスター役になり、人が集まるようになった。場をつくったら自治が生まれた」と驚く。

ほかにも中越の経験が生きる。同機構の北村育美さん（28）は福島県の大学生らと「足湯」を始めた。マッサージしながら被災者の声を聞く足湯は阪神大震災で始まり、中越からボランティアのメニューに定着した。「避難者のニーズをつかみ、自主的に動ける環境をつくらないといけない」と北村さんは指摘する。

避難者の自主性を取り戻すため、中越で旧山古志村住民の仮設住宅に併設された農地をモデルに、畑を借りることも決まった。もうすぐ避難者が、農業高校や農場にバスで通いサツマイモやトウモロコシを育て始める。

避難者も変わってきた。班分けして自治会をつくり、掃除などをするようになった。富岡町のタクシー運転手杉本法人さん（52）は「最初は何で自分たちでと反対もあった。でもここではみんな家族という気持ちでやらなければ」と語る。

「仮設住宅に入ってからが本当のスタート。仮設で孤独死を出さないため、住民の交流と自治という『命を守る態勢』を避難所でつくりたい」。天野さんは力を込めた。

（本紙取材班・小原広紀、丸山俊子）

福島県内の避難所

10日現在、88カ所で5409人が避難生活を送る。うち、ビッグパレットふくしまは最多の895人。避難者数のピークは3月16日で403カ所7万3608人。2004年の中越地震では発生3日後の10月26日に避難者数が10万人を超えたが約2カ月後の12月21日に避難所はゼロとなった。

（2011年6月12日）

復興はいつ3　離れ離れ

仮設住宅4市町で建設
「茶飲み仲間　見つけたい」

福島県桑折(こおり)町の仮設住宅からは人の声がほとんど聞こえてこない。福島第1原発の事故で避難した浪江町の被災者向けに建設された場所だ。「役場に遠いし放射能も高い。先が短いうちらはいいけどね」。表札のない仮設脇を散歩しながら、門馬(もんま)チカさん(73)はつぶやいた。7割がまだ空いている。

浪江町の住民は、震災翌日に町内の山間部に避難。その場所も放射能が高く、多くの人がさらに内陸の二本松市などに逃げた。臨時の役場は今、同市にある。門馬さんの仮設は、その役場から北に約30キロ離れている。

同町の仮設は、一つの自治体で適地を確保できず、桑折町のほか二本松市、福島市、本宮市の4市町に分散した。町は被災者に入りたい仮設の第3希望まで聞き、

福島・桑折町、浪江町

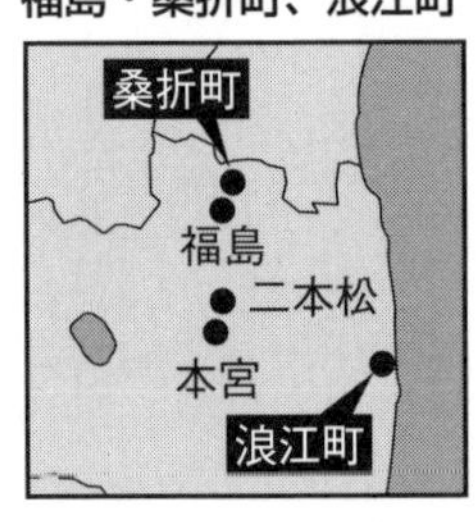

要介護者や子どもがいる世帯から優先的に入れている。役場のある二本松は一番人気。最も遠い桑折町は２８６戸が5月に完成したが、6月5日時点で91戸しか入居していない。

◇　◇

「原発のせいで茶飲み仲間がみんなバラバラになっちゃった」。門馬さんは憤る。自宅は昭和元年創業の酒屋で、原発から約8キロ離れていた。息子に店を継ぎ、毎日のように来る茶飲み仲間と会うのが楽しみだった。

中越地震では集落ごとに仮設へ入り、コミュニティーを維持した。しかし、東日本大震災で津波の被害を受けた自治体は、山間部に広い建設場所を確保できない。多くが入居を抽選で決め、コミュニティーは分断されている。さらに、原発事故が被災者を苦しめる。警戒区域になった浪江町など福島県の自治体は、自分たちの土地に仮設を建設できない。同町の原芳美建設課長は「自分たちも中越地震の被災地のように、仮設をまとめて建てたい。でも2万人の町民が暮らせる場所なんてない」と漏らす。

町民約9千人が県外に避難している。ホテルや温泉旅館など県内の2次避難所にいる人も多い。仮設に入ると光熱費や食費など生活費がかかるため、旅館にいられる7月末の期限ぎりぎりまで、仮設の完成後も入居しない人は少なくない。

「隣の家の土地に自分の家を建てるのは難しい」。原課長は比喩を口に頭を悩ませる。「津波と地震だけならまだ何とかなったんだけどな」

◇　◇

門馬さんは桑折町の仮設住宅説明会で仲間の1人と再会。仮設では隣同士にしてもらった。多くの友人が県外に避難し、電話で近況

友人と仮設住宅を散歩する門馬チカさん（右）。閑散としているため、洗濯物もまばらだ＝福島県桑折町（撮影＝本紙取材班・坂井有洋）

を伝えあう。

自分の仮設の裏に集会所ができた。空いている住宅が早く埋まってほしいと思う。「集会所で新しい茶飲み仲間を見つけないとね。頑張らなきゃいけないっぺ」。門馬さんに少し笑顔が戻った。

（本紙取材班・高橋渉）

仮設住宅

東日本大震災で必要とされるのは5万2200戸。10日時点で4万1754戸の着工が確定し、うち2万8280戸が完成した。福島県は必要な1万5200戸のうち、7748戸が完成。浪江町は桑折町など4市町に2754戸を建設予定で、877戸が完成した。浪江町と同じく警戒区域の富岡町も郡山市など3市町村に仮設住宅が分散している。中越地震では3460戸を建設した。

（2011年6月14日）

復興はいつ4　コミュニティー

「中越」参考　集落一緒に
都市化進み困難な場合も

夕方、小学校や保育所から子どもたちが帰ってきた。ボールやゲームを手に、集会所や友人宅をせわしなく行き来する。プレハブ全体が遊び場。「みんなでまとまって暮らせて、人間関係がすごく密になった」。佐伯陽子さん（34）は、優しくほほ笑んだ。

福島県の北端、新地町福田の仮設住宅。佐伯さんら、東日本大震災で津波に襲われた同町埒浜集落などの69世帯221人が暮らす。佐伯さんの長女（7）は、震災前と同じ小学校に弟（6）と一緒に通っている。

佐伯さんの自宅は流された。建ててから1年半、ローンだけが残った。近くの実家では祖母（84）が犠牲になった。失意の連続だったが、5月の連休明けから仮設に移って気持ちに変化があった。「どこにいても明るく暮らせれば幸せだ」。そう思えるようになった。

◇　◇

新地町は中越地震などを参考に、仮設住宅をコミュニティーごとに割り振り、ペット同伴にも対応。既にほとんどの町民が入居を終えた。

加藤憲郎町長は「町民には抽選でなく、少し待ってでも隣近所と一緒に住みたいという声が多かった」と中越との共通点を語る。他地域では避難所を出るのを拒む被災者もいるが、集落単位で意思決定した新地ではそういう問題もなかったという。

しかし、自治体側がコミュニティー維持を目指しても、うまくいかないケースも出ている。

仮設住宅の前で、近所の母親仲間と子どもたちを遊ばせる佐伯陽子さん（右端）＝福島県新地町福田

仙台市では仮設住宅の入居申請が、着工数の半分以下にとどまる。民間借り上げ住宅制度の利用が多いという事情もあるが、市が地域でまとまって入居してほしいと申請要件を10世帯以上としたことも一因という。今は5世帯以上に緩和したが、需給ギャップは埋まらないままだ。

担当の同市保険年金課は「都市化でつながりが希薄になった面もあるが、バラバラに避難したために昔ながらの地縁血縁が残る地域もまとまらなくなった」として、要件の弾力化を検討する。

◇　◇

震災前のコミュニティー維持にめどがついた新地町は、震災から100日の19日に合同慰霊祭を営む。

「仮設で絆が強まり、町民も少しずつ先のことを考えられるようになってきた。慰霊祭で、亡くなった方の分まで復旧、復興すると誓いたい」と加藤町長。今後、被災集落の移転を含めた復興計画策定に本腰を入れる。

中越地震で仮設住宅に暮らした斎藤隆・前長岡市山古志支所長は「集落単位でま

とまったことで行政と住民の情報、意思の伝達がスムーズになり、生活再建にプラスになった」と振り返る。

新地町の仮設住宅で、佐伯さんは周りの世帯を見渡して語った。「今はまるで埒浜の人たちが大きな船に乗ってるみたい。揺られて、どこへ行くんだろうって心配もあるけど、ずっとみんなで一緒に暮らしたい」

（本紙取材班・小原広紀、写真も）

新地町と仙台市の仮設住宅

新地町は町内8カ所で573戸建設。既に6カ所390戸が完成し、町民はほぼ入居を終えた。残り2カ所は大半が福島第1原発事故で避難してきた町外者向け。仙台市は着工数1523戸に対し、入居申し込みは14日現在約700戸。一方、同市では民間賃貸住宅を仮設住宅と認める借り上げ制度への申し込みが6千戸を超えている。

（2011年6月15日）

復興はいつ5　寄り添う

健康サポート、交流促進
介護予防拠点3県で進む

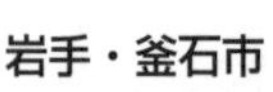

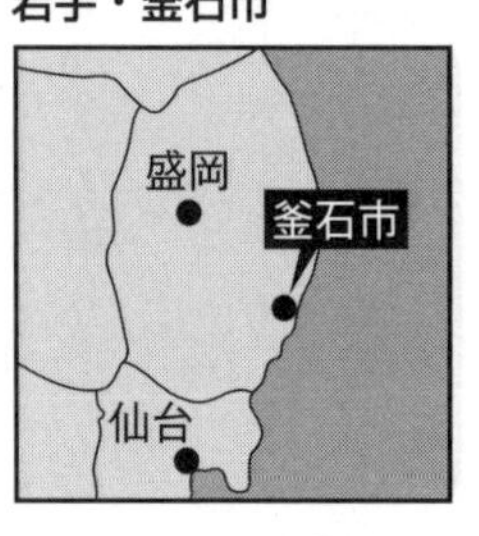

仮設住宅暮らしが1カ月余りたつが、隣人にあいさつもできていない。岩手県釜石市の川端善博さん（79）と晴代さん（78）夫妻。一日の大半を4畳半の部屋で過ごす。「脚が痛むから、外に出る気分になれなくて」。晴代さんは持病で痛む脚をさする。

東日本大震災前、釜石港まで約500メートルのアパートで暮らしていた。津波で建物は半壊、家財は全て水に漬かった。近所の友人は避難所へ散り散りに逃れた。川端さん夫妻は中学校体育館に避難した。

仮設住宅には早々に入居できた。75歳以上の高齢者世帯などは優先されたためだ。生活は落ち着いたように見える。しかし118世帯が暮らす仮設住宅団地に知人は2人。晴代さんは隣人と交流した方がいいと思いながらも「もう少し余裕ができてから」。

介護が必要なほどではないが、脚が痛み、気持ちは晴れない。長引くだろう避難生活に健康が気になる。避難所では医師が巡回し血圧などを診てくれたが、仮設住宅ではその機会はなくなった。

◇　　◇

仮設住宅に入居する高齢者は多い。中越地震では長岡市千歳の仮設住宅団地内に、全国初の仮設の高齢者サポート拠点が開設された。介護サービスや介護予防の拠点となっただけでなく、住民の交流の場ともなった。運営した社会福祉法人「長岡福祉協会」理事の小山剛さん（56）は「介護が必要な被災者は多い。健康な人が要介護にならないための予防も大切」と強調する。

小山さんは東日本大震災直後から、岩手・宮城・福島の3県を回り、中越地震の教訓を伝えた。国土交通省や厚生労働省との協議も重ねた。

中越地震ではサポート拠点経費が2年間で約7千万円。募金や長岡市の補助もあったが、長岡福祉協会は5千万円以上を負担した。それから7年。国の施策となり、3県で計画が進む。

「ただ仮設住宅を造ればいいわけではない。そこで暮らす人の生活をどう支えるかということに向け、ようやく動き始めてきた」。小山さんは平常時と変わらぬ生活支援を訴え続ける。

◇　◇

釜石市は3カ所の仮設団地に集会所やデイサービス機能がある拠点を設置する方針。川端さん夫妻の入居先には敷地に余裕がないが、近隣の仮設団地に設けられる。

今、川端さん夫妻は親戚や知人が訪ねて

一日の大半を仮設住宅で過ごす川端さん夫妻。「健康でいて、みなさんに恩返ししたい」と話す晴代さん（右）＝岩手県釜石市

くるのを待つ毎日。でも生活が落ち着いたら、仮設団地で友達をつくって出掛けたいと思っている。

晴代さんはとつとつと話す。「大勢の方に助けていただきました。いつか恩返ししたい。そのためにも、介護施設のお世話にならないよう健康でいないとね」

（本紙取材班・阿部義暁）

仮設住宅の高齢者サポート拠点

中越地震で長岡市に設置された拠点はデイサービス、訪問介護・看護、配食サービス、介護予防などに取り組んだ。国はその取り組みをモデルとして、4月に補助制度を創設。岩手県が7カ所、福島県が10数カ所で建設を計画する。宮城県は建設場所などの調整を進めているほか、仮設のグループホームを建設している。

（2011年6月16日）

復興はいつ6　行政の機能不全

対応後手　先行き示せず
募る不安　流出する住民も

岩手・大槌町

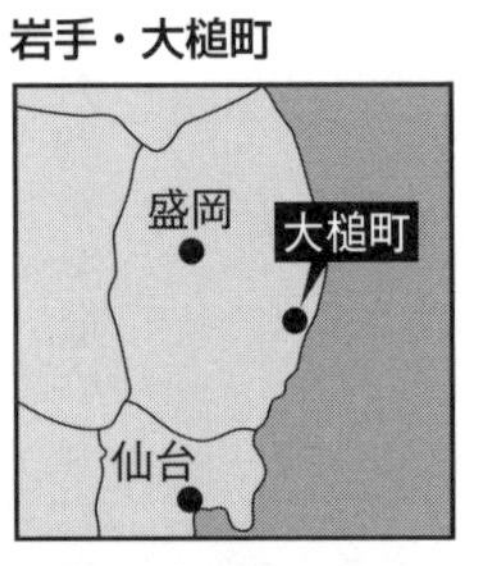

福島・富岡町

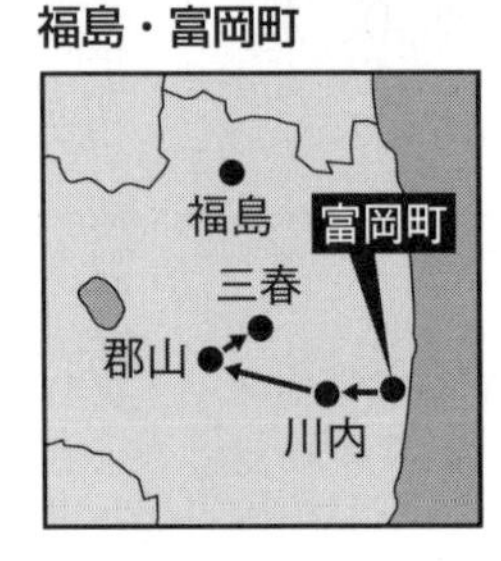

中心部の大半が津波にのみ込まれた岩手県大槌町。唯一の造り酒屋「赤武酒造」も施設が流され、残った鉄筋コンクリート建ての工場も津波後の火災に焼かれた。

震災から3カ月。敷地周辺のがれき撤去は進んだ。社長の古舘秀峰さん（46）は事業再開に向け準備を急ぐ。明治28年創業の老舗。仕込みに使う良質の軟水が自慢だった。銘柄は「浜娘」と「海龍」。海と山に囲まれた大槌での酒造りにこだわってきた。

ただ、再開へのもどかしさも募る。「役場は津波に遭った沿岸部をどう復興しようと考えているのかが見えない。ここで酒造りをもう一度したいが、できるのかどうか見通しが立てられない」。津波で町長というリーダーを失い、町の復旧・復興が遅れている。

大槌町は町長や課長ら役場職員の4分の1に当たる33人が亡くなった。残った東梅政昭副町長ら職員は、仮設庁舎で避難所対応や仮設住宅の準備に追われる。被災自治体で復興計画の策定作業が進む中、大槌町は5月末にようやく計画準備会ができた段階だ。

中越地震で全村避難した旧山古志村は、長島忠美村長＝当時＝が「山古志へ帰ろう」とスローガンを掲げ復興を進めた。一方、大槌町は政治のメッセージが発せられず、「町はどうなるのか」と町民の不安が膨らむ。

東梅副町長は「精いっぱいやってきたが、町長不在の影響は大きい」と話す。副町長の任期は20日に終わり、21日から総務課長が職務代理者となる。町長選は、町議会が任期満了を迎える8月末まで遅れる見通しだ。

◇　◇

「復興ビジョンを早くまとめないと、戻る人がいなくなってしまう」

古舘さんの焦りの背景には、大槌町の住民約400世帯が隣接する釜石市の仮設住宅に申し込んだことがある。町内の仮設住宅入居希望約2千世帯に対し、引き渡しを終えたのは約300戸。住民は町に戻るのか、先行きは見通せない。

◇　◇

福島県は原発事故による混乱の中、住民は散り散りに避難した。警戒区域にある富岡町の菅野利行総務課長補佐は「遠くに逃げろとしか言えなかった」と振り返る。町も震災翌日に川内村、その5日後に郡山市と移転を重ねた。住民の所在確認すらままならず機能不全に陥った。

町民からは「町の情報が入らなかった」（77歳女性）、「行政は何もしてくれない」（74歳男性）という不満が上がる。しかし富岡町は徐々に所在確認を進め、現在は

本庁舎が津波に遭い、プレハブの仮設庁舎に移った町役場（右手前）。沿岸部のがれき撤去は、徐々に進んでいる＝岩手県大槌町

96%を把握。月2回、町広報などの情報を郵送できるようになった。
富岡町民の仮設住宅は、郡山市、三春町、大玉村に分散する。町は9月、三春町に移り帰郷に備える方針だ。菅野課長補佐は「避難者を難民にしてはいけない。三春で腰を落ち着けたい」と強調。バラバラになった町が一つに戻る日を祈る。

（本紙取材班・阿部義暁、高橋渉）

行政庁舎の移転

津波で本庁舎が被災し移転した自治体は、岩手県が陸前高田市と大槌町、宮城県が南三陸町と女川町。福島県は原発事故の影響で、富岡町や川内村など8町村が移転。計画的避難区域の飯舘村は、福島市に出張所を設けた。市町村職員の死者・行方不明者は、3県で230人以上に上るとみられる。

（2011年6月17日）

復興はいつ7　支援員導入

住民のつなぎ役を期待
財源、体制は不透明なまま

宮城・東松島市、南三陸町

堤防が削られ、大破した家とがれきの山が点在する仙台市近郊の沿岸部。「この光景が海岸沿いに何百キロも続くんだよな」「支援員が何人必要かな…」。長岡市川口地域の地域復興支援員、中林道泰さん（32）は仲間と顔をしかめた。

東日本大震災3カ月を前にした6月上旬、中林さんら中越地震の復興支援員3人は中越防災安全推進機構メンバーと被災地を回った。宮城県庁で行政と学識者らが集落の再建を話し合う「地域コミュニティ支援連絡会議」に招かれたためだ。

会議で、3人は東北の深刻さを踏まえつつ中越での活動を報告。「過疎高齢化が進んだ被災地では『元に戻る』だけの復旧では衰退するので、新たな地域づくりを模索している」「支援員がいなくなっても、地域が自立できるようにするのが目標」

などと説明し、行政との関係や人材育成について質問に答えた。

◇　◇

中越をモデルに、復興支援員制度を導入する動きが出ている。宮城県は試験実施する方針を固めた。支援員の育成などを担う中越防災安全推進機構には、岩手県などからの問い合わせもある。

宮城県の連絡会議メンバーの鈴木孝男・宮城大助教は「大震災と中越の被災地は海辺と山あいの違いはあるが、過疎高齢化などの共通点も多い。バラバラになる集落が出ているので住民のつなぎ役としてできるだけ早く始めたい」と語る。

連絡会議の議論を受けて、同県は緊急雇用対策事業として8月にも東松島市と南三陸町に4人ずつ配置する計画だ。

本県震災復興支援課は「中越では過疎高齢化した集落に継続的に若者が入り、話をじっくり聞いて将来を考えることで、住民が前向きになった。このように行政と住民の間をつなぐ中間支援の効果が実証できたので、東北でも生かしてもらえれば」としている。

鈴木助教は「市町村全体の復興計画とは別に、地域密着のプランも必要だ」と指摘。中越と同様に支援員の働きを生かし、集落などを単位としたきめ細かい復興計画を作りたい考え。支援員の候補者を中越で研修させることも検討している。

◇　◇

ただ、財源や体制は不透明だ。「長期的に支援員を派遣するには復興基金のような財源と、統括する中間支援組織が絶対に必要」。長岡市で支援員の派遣元となる山の暮らし再生機構の平井邦彦理事長は強調する。

中越では県復興基金が地震約半年後の2005年3月に設立され、仮設住宅での生

津波の被災地を視察する中越地震の地域復興支援員たち＝仙台市若林区

活支援相談員や支援組織などが整った。地域復興支援員はその延長線上で導入された。

しかし、東北では基金などの方針がまだ定まらない。平井理事長は「このまま基金の創設が先送りされていくと、復興のスピードが遅くなる可能性がある」と懸念している。

（本紙取材班・小原広紀、写真も）

地域復興支援員

2007年度に始まり、毎年40～50人の若者らが中越地震の被災地で活動。現在は43人。長岡市の山の暮らし再生機構などが、県中越大震災復興基金から年間2億4千万円前後の助成を受けて派遣する。当初は12年度に終了する予定だったが、14年度までの延長が決まっている。

（2011年6月18日）

復興はいつ8　集団移転

故郷の再建へ住民動く「中越から勇気もらった」

「終の住み処にと10年前に建てたんですけどね」。宮城県気仙沼市唐桑町の舞根集落。カキの養殖で知られる舞根湾の沿岸で、畠山孝則さん（66）は自宅跡に立った。東日本大震災の津波で家は土台ごと持っていかれた。めくれ上がった車庫の基礎が残るだけ。1メートル以上地盤沈下し、今も周りは浸水したままだ。

「もうここには住めないが、舞根は離れたくない。あの高台にみんなで住みたい」。畠山さんは集落のすぐわきの山林を指さした。中腹に、津波の高さ約15メートルを示すくいがある。その上を切り開いて造成し、集団移転する計画を立てている。

◇　◇

舞根は52戸のうち44戸が流失した。「このまま散り散りになると思った。でも避難所で話し合ううちに、やっぱり生まれ育った所に住みたいということになった」。漁業をしてきた菅野秋男さん（70）は語る。

3月末、市に相談した畠山さんや菅野さんらは防災集団移転事業を知り、すぐに動き出した。4月には畠山さんが代表で期成同盟会を設立。44戸のうち、自宅再建の意思があるほぼすべての29戸が賛同した。

「とにかく早く動かないと、舞根がバラバラになるという不安があった」と畠山さん。集落と海が一望できる山林を希望地に決めた。地権者に独自交渉して承諾も得て、気仙沼市に事業化を要望した。しかし、市からゴーサインは出なかった。

◇　◇

5月末、何とか行政を動かしたいと、畠山さんら22人は自費でバスを仕立てて遠路、長岡市へ。川口、山古志両地域で、集団移転したり、故郷のすぐ近くに再建したりした集落を視察した。

「それが、市に働きかける原動力になった」。畠山さんは強調する。制度や手続きへの理解が深まったのはもちろん、住民の姿に心を打たれた。

太平洋岸の舞根から見たら雪深く、不便に思える山里を愛し、帰ろうと言い続けた中越の人たち。「どこの被災者も気持ちは一緒なんだ、自分たちも引き下がらずにやろうと思った」。舞根に帰った畠山さんらは、市への要望を繰り返した。

そして17日、市議会6月定例会に防災集団移転の調査費が上程された。舞根以外に希望が出ることも見越し10カ所分、計1千万円の補正予算案。市都市計画課は「何カ所に増えるか分からず、国に補助率アップなどを要望している。実施を決めたわけではなく、可能性を探る費用」とする。

「あの高台に移りたい」。車庫の基礎だけが残った自宅跡で語る畠山孝則さん、泰子さん夫妻＝宮城県気仙沼市唐桑町舞根（撮影＝本紙取材班・佐藤尚）

ただ、舞根の住民にとっては大きな一歩だ。「舞根を離れたら、おれがおれでなくなる。同じ思いを山古志の人も抱いていて、本当に勇気づけられた。いつか移転を実現し、お礼に行きたい」。畠山さんは高台を見つめて、決意を新たにした。

（本紙取材班・小原広紀）

防災集団移転促進事業

危険で居住に適さないと認められる区域からの集団移転を促すため、団地造成や住宅ローンの利子補給などに1戸当たり上限1655万円を助成する。事業主体は市町村で、国が4分の3を補助。ただ、残り4分の1の多くも特別交付税の対象になるため、市町村の負担は実質約5％となる。移転戸数は10戸以上。中越地震では要件が5戸以上に緩和され、長岡、小千谷両市で計10集落、97戸が移転した。

（2011年6月19日）

中越地震からの復興における震災から3年半の中間支援組織の活動とその変遷

～中越復興市民会議と復興デザインセンターの事例から～

社団法人中越防災安全推進機構
復興デザインセンター長　稲垣文彦

1、はじめに

2004年10月23日に発生した新潟県中越地震（以下、中越地震）の主要な被災地は中山間地域にあり、震災によって増幅された中山間地域固有の課題をつきつけられることとなった。それは「地震によって加速した過疎・高齢化に伴うコミュニティ存亡の危機」である。

2005年3月22日（震災から5カ月）、各地の災害ボランティアセンターの関係者、阪神・淡路大震災を経験したボランティア、災害ＮＰＯ、有識者等を一堂に集めたシンポジウムが開催され、復興支援を目的とした中間支援組織の必要性が議論された。これを契機として「災害救援を目的とする災害ボランティアセンター」から「復興支援を目的とする中間支援組織」への移行についての議論が、関係者によって本格的に開始されるようになる。

2005年5月11日（震災から7カ月）、各地の災害ボランティアセンターの連携を目的として活動していた「新潟県災害救援ボランティア本部中越センター」を前身として、地域復興のための中間支援組織「中越復興市民会議（以下、市民会議）」が発足した。当初は、２人の専任スタッフと、産官学民を代表する29人の運営委員により運営されていた。その後スタッフの入れ替わり・追加、事業ごとのコーディネーターの割り当て、運営委員の交代などその時々で柔軟に組織の形態、事業の内容を変えながら、**２００８年３月（震災から約３年５カ月）**まで、文字通り「中越復興」を支援する「市民」の団体として、その役割を果たしてきた。

ここで、市民会議の活動資金について紹介する。設立当初の資金は、社団法人日本青年会議所の災害対策活動基金特別会計から寄付を受け活動を開始している。その後、独自で「中越復興まちづくり基金」を設置し、全国各地から３年間で約１０００万円の寄付を受けている。また、財団法人新潟県中越大震災復興基金（以下基金）から活動助成を受けることとなり活動資金も安定していった。市民会議の２００４年から２００７年までの３年間の活動経費は約７７００万円であり、また、その収入内訳は寄付金40％、基金36％、事業委託22％、その他２％であった。

２００８年４月１日（震災から３年６カ月）、市民会議は、社団法人中越防災安全推進機構復興デザインセンター（以下、ＤＣ）にその活動の軸足を移し、２０１１年現在も継続して中越復興の支援活動を行っている。

ここからは、市民会議から始まりＤＣに繋（つな）がっている震災から3年半の活動の変遷を整理して報告する。そして、その背景にある被災中山間地域の支援ニーズの変遷、加えてそれに関わる行政機関との連携および基金の支援事業の変遷を関連づけて整理していく。

2、復興支援の模索（震災から約7カ月～約1年7カ月）

（1）設立当初（現場へ）

設立当初の市民会議スタッフには、災害からの復興支援、地域づくり支援の経験者はいなかった。復興支援の基本姿勢として、「住民自らが主体的に地域のことを考え、行動する意識の醸成」と「そこから生まれてきた活動を支援する」という認識は持っていたものの、具体的な復興支援活動のイメージはなかった。とりあえず、阪神・淡路大震災からの復興過程で兵庫県が行っていた「被災者復興支援会議」の事業を模した「移動井戸端会議」を行うこと、つまり現場へ行くことだけが決まっていた。

（2）法末地区移動井戸端会議（気づき）

2005年6月10日（震災から8カ月）、小国町法末地区（現長岡市）において移動井戸端会議を行った。初めての会議で互いの戸惑いはあったものの、道路、水道、下水、農業用水等のインフラ復旧への不満、今後の集落での生活への不安を聞くことができた。しかし、被災者ニーズを解決する手段を持たない市民会議としては、ただ話を聞くことしかできない。会議の最後になって話題に出た小学校の廃校を活用した民宿施設「やまびこ」の話が、市民会議の復興支援の考え方の基礎となる「軸ずらし」[1]（簡単に言えば、既存の認識・価値観を転換すること）という気づきをもたらすきっかけとなる。その後の法末への復興支援は、民宿施設の復旧に焦点をしぼり、地域の良さを再発見する外部者によるまちあるき、世間の注目を集めるためのイベントの開催等を行った。これらの活動を通じ**2005年11月（震災から1年1カ月）**には民宿施設が復旧し、住民主体による地域復興の活動へと繋がっていく。

（3）木沢地区移動井戸端会議（気づきの確認）

2005年12月7日（震災から1年2カ月）、川口町木沢地区において2回目の移動井戸端会議を行った。法末と同様、会議の話題はインフラ復旧の不満と今後の生活の不安の話題に終始する。やはり求める課題への直接的解決の術（すべ）はない。そこで、法末と同様に地域資源を洗い出すワークショップを行う。震災前からの地域づくりの経験のなさからか、当初は法末地区ほど順調に住民の主体性を引き出すことはできなかったが、その後粘り強く外部者との関わりを継続していくことによって、住民主体による地域復興活動が活発化していく。

（4）台湾921地震復興調査（気づきの確信）

市民会議は法末、木沢地区を主たる支援先としながら、その他に小千谷市塩谷地区、十日町市池谷地区、川口町田麦山地区などの間接的な支援活動を始めていた。同じ頃、台湾で1999年に発生した921地震からの復興を学び始める。**2005年9月18日（震災から11カ月）**には台湾地震の事例報告・勉強会「台湾の地震被害とその復興〜住民主体の村づくりの事例として〜」を開催。**2005年12月26日〜29日（震災から1年2カ月）**には、市民会議の関係者が台湾に出向いて復興調査を行った。さらに**2006年3月10日〜13日（震災から1年5カ月）**には、地域復興に取り組む地域住民のリーダー数名と市民会議の関係者とで2回目の現地復興調査を行った。

これらの調査を通じて、台湾においても住民主体の地域復興、外部支援者の関与の重要性、地域資源を生かした地域活性化など、基本姿勢は中越と共通しており、これまでの活動が間違っていなかったことを確信する。

3、行政機関との連携（震災から1年8カ月～2年3カ月）

（1）円卓会議（情報交換から連携・協働へ）

2005年12月頃（震災から1年2カ月）、被災地の課題が、個人の生活再建、インフラ復旧から地域復興へと移ろうとしていた。その頃に、新潟県震災復興支援課と市民会議との情報交換が行われるようになっていた。行政機関は、生活再建やインフラ復旧は通常の行政手法の応用でできていたが、今後の地域復興へのアプローチの方法に悩んでいた。一方市民会議は、復興における市民セクターの役割の模索をしながら、前述の通り早くから地域の復興支援に取り組んでいた（そもそも市民会議には生活再建、インフラ復旧など、被災者の直接的ニーズに応える影響力も社会的信頼もない）。

このような背景から、行政機関は市民会議から地域復興の情報を、市民会議は行政機関から生活再建と復旧の情報を得るかたちで情報交換が行われていた。

2006年5月22日（震災から1年7カ月）、「震災復興支援意見交換会」が開催された。新潟県、市町村、市民会議関係者が、利害も議題もなしに円卓を囲んで意見交換を行った。この円卓会議をきっかけとして、行政機関と純市民セクターから生まれた中間支援組織である市民会議との連携が本格的に進んでいくことになる。

（2）地区懇談会・集落再生支援（連携して共に現場へ）

2006年6月6日（震災から1年8カ月）、小千谷市塩谷地区の住民を対象とした「塩谷地区懇談会」が開かれた。目的は住民の声を現場で聞き、その生の声を今後の復興施策および支援活動に生かすことであった。このような目的で行政機関が直接現場に入るのは初めてのことであり、市民会議は文字通り地域と行政機関を繋ぐ中間支援の役割を果たした。

その後、各地で同様の懇談会が開催されていくことになる。また、この各地での懇談会が、地域ニーズに即した新たな基金事業導入へと繋がっていく（「中山間地域再生総合支援」事業など）。

2006年9月19日（震災から1年11カ月）、「集落再生支援チーム」の第一回連絡会が開催され、市民会議も参加した。集落再生支援チームとは、新潟県、市町村の復旧・復興に関わる部署が横断的に参画し、選定された市町村のモデル地区の復興支援を行うためのプロジェクトチームである。この連絡会では、選定されたモデル地区の現状と、今後の復興支援活動の戦略が話し合われた。

2006年11月2日（震災から2年1カ月）、川口町のモデル地区である荒谷地区において「荒谷地区集落再生支援説明会」が開催され、地区の復旧の要望についての話し合いと、地域復興のための地域資源の洗い出しワークショップが行われた。集落再生支援チームと市民会議とが連携して地域に入ることにより、行政機関単独ではできなかった地域復興に向けたワークショップと、市民会議単独ではできなかった復旧に関する意見交換を同時に行うことが可能となり、復旧から復興へとスムーズな移行が図られるようになっていった。

また、他のモデル地区（長岡市太田地区、小千谷市若栃地区、東山地区）においても同様の集落再生支援説明会が開催され、後に、この事例を手本とする復興支援活動が、モデル地区外にも展開されていく。

4、取り組みの発展（震災から2年4カ月〜3年5カ月）

（1）地域復興交流会議（思わぬ三つの効果）

2007年2月17、18日（震災から2年4カ月）、長岡市蓬平温泉にて「地域復興交流会議」（以下、交流会議）が市民会議主催、新潟県共催で開催され、地域復興に取り組む地域、支援団体、行政機関等、50団体、150名が参加した。交流会議の目的は、地域復興に取り組んでいる団体が一堂に会し、情報交換やネットワークづくりを行うことにあった。

その後、この交流会議は、2007年9月（川口町）、2008年3月（魚沼市）、2008年11月（南魚沼市）と場所を変えながら計4回開催された。開催によって、当初予想もしていなかった三つの効果が生まれた。

（1）地域復興の取り組みのステップアップ効果
（2）地域復興の取り組み地域数の拡大効果
（3）地域連携効果

蓬平温泉で初めて開催された地域復興交流会議

外部者との関わりが住民の復興に向けた意欲の醸成に効果的であることは分かっていたものの、地域復興に取り組む地域住民が、他地域には外部者として影響を与える効果があるとは考えていなかった。交流が地域間の競争を生み、取り組みのステップアップに繋がっていった。そして、この動きは「地域復興デザイン策定支援」事業という基金事業導入へと繋がっていく。

毎回開催地を変える中で、開催地周辺の地域復興に取り組み始めたばかり、あるいは始めようと思っている地域が参加をし、その地域が、交流会議を機に本格的な取り組みを始めていった。そして、この拡大する取り組み地域数に対応するために、復興支援体制の充実を目指した「地域復興支援員設置支援」事業という基金事業導入へと繋がっていく。

個別に地域復興の取り組みをする各地域が、個別での取り組みに限界を感じて、情報交換の中から近隣地域と取り組みの連携を模索する動きも生まれた。また、会議を重ねるごとに取り組み地域数が増加し、旧市町村単位での地域連携が芽生えたものもある。こういった動きが「復興支援ネットワーク」事業という既存基金事業を活用しての復興支援ネットワーク立ち上げに繋がっていく。

（2）地域復興デザイン策定（将来ビジョンを描く）

地域復興の取り組みが早かった地域では、活動開始から1年が経過し、また、近隣地域との競争意識の中で住民の主体性の醸成段階から地域の将来ビジョンを作成する段階に移行し始めた。この展開に呼応するかたちで、**2007年4月（震災から2年6カ月）**に基金事業の「地域復興デザイン策定支援」事業が開始された。地域復興の取り組みが早く、住民の主体性が醸成されていた法末地区がいち早くこの事業に取り組んだ。

2007年4月23日~25日（震災から2年6カ月）、デザイン策定事業が産声を上げた同じ頃、市民会議の関係者は1989年に発生したロマ・プリエータ地震で被害を受けたサンタクルーズ市の復興調査を行った。詳細な報告は別稿[2]に譲るが、この調査から「足し算と掛け算の支援」[3]という新たな考え方が得られる。要約すると復興プロセスにはステージがあり、そのステージにふさわしい支援でないと効果がないということである。また、この調査で地域の将来ビジョンを描くことの重要性に改めて気づかされることになる。

2007年6月1日（震災から2年8カ月）に開催された集落再生支援チーム連絡会では、足し算と掛け算の支援の考え方に基づいた基金事業のあり方が議論された。「地域コミュニティ再建支援」事業を足し算の支援期に、「地域復興デザイン策定支援」事業を掛け算の支援期に活用することが適切だろうと結論づけられる。また、デザイン策定支援事業の事業内容等の補助対象者の項目にある「復興熟度が高い」とは、「足し算の過程が済んでいる状態」を示しているのではないかという議論がなされた。

2009年5月（震災からから4年7カ月）からは、デザイン策定事業に取り組む地域間の情報交換と相互刺激を目的に「地域復興デザイン発表会」が始まっている。これは、地域復興交流会議の成功からヒントを得た、デザイン策定事業版といっても良いかもしれない。

（3）復興ネットワーク（近隣グループのネットワーク化）

2007年9月18日（震災から2年11カ月）、「えちご川口交流ネットトREN」が結成された。川口町内の各地区の地域復興が活発化し、個別での取り組みに限界を感じたり、あるいは近隣地区との連携で新たな展開を経験したりするなかで、他の市町村にさきがけて町内の復興グループを繋ぐネットワーク組織として結成された。その後、旧山古志村では「山古志住民会議」が、旧小国町では「MTNサポート」が相次いで結成された。前述の通り、これらは既存基金事業である復興支援ネットワーク事業を活用している。

2007年10月（震災から3年）、えちご川口交流ネットRENは「川口町おかげ様感謝デー」を、山古志住民会議は「やまこしありがとうまつり」を行政機関と連携して、住民主体で開催した。この復興支援ネットワーク事業を受けているネットワーク団体は12団体（2009年8月現在）あり、各地で住民主体の地域復興の横の繋がりをつくる活動を行っている。

（4）地域復興支援員（復興支援の人的体制の充実）

2007年12月15日（震災から3年2カ月）、「川口町地域復興支援センター」の開所式が行われた。このセンターは、同年9月に開始された基金事業の「地域復興支援員設置支援」事業によるもので、同センターに地域復興支援員1名が雇用された。中越地域全体で地域復興支援センターが9カ所設置され、地域復興支援員が51名雇用（2009年8月現在）され、各地の復興支援活動を行っている。また**2008年4月（震災から3年6カ月）**からは、この地域復興支援員の人材育成と情報交換を目的に、「地域復興支援員研修会」が始まっている。しかし、支援員制度そのものが前例のない取り組みであるため、研修も手探りで進めている。

2008年4月（震災から3年6カ月）、「復興プロセス研究会」がDC内に設置され、被災者の復興感分析や復興熟度等、復興プロセスに関する研究を行っている。[4]そして、そこから生まれた知見は、人材育成事業に生かされている。

5、新たな支援体制への移行（震災から3年6カ月〜）

復興デザインセンター（中越復興の拠点として）

2008年4月1日（震災から3年6カ月）、社団法人中越防災安全推進機構にDCが設置され、市民会議の5名のスタッフ全員がDCのスタッフとして雇用された。DCは、同年3月に開始された基金事業の「地域復興人材育成支援」事業によって運営されており、復興人材育成と防災人材育成の二つの事業を行っている。

復興人材育成事業では、地域復興に取り組む地域数の拡大に呼応する地域復興支援員の配置に合わせて、3年間の復興支援活動の経験を有する市民会議のスタッフが地域復興支援員の育成に当たる。市民会議として活動していた時の地域に対する直接的な復興支援活動とは違って、DCは、地域復興支援員を介しての間接的な復興支援活動を行っている。

6、おわりに

2011年3月11日（震災から6年5カ月）、東日本大震災が起きた。過去の被災地としての中越は、どんな支援ができるだろうか。ここでは、われわれが模索を重ねてきた震災から3年半のプロセスをご紹介した。東北の被災地において何かしらの参考になれば幸いである。

参考文献

（1）稲垣文彦『ＮＰＯにしか出来ない軸ずらし』復興デザイン研究合本号、pp.48―50、２０１０
（2）木村浩和・渥美公秀・宮本匠・稲垣文彦・上村靖司『サンタクルーズ物語復興調査』復興デザイン研究合本号、pp.63―68、２０１０
（3）稲垣文彦『サンタクルーズと荒谷～地域復興における足し算の支援と掛け算の支援～』復興デザイン研究合本号、p.67、２０１０
（4）上村靖司『復興の熟度は計れないだろうか?』復興デザイン研合本号、p１０４、２０１０

ふるさと再生

山里の行方

小千谷・東山の6年

小千谷市東山地区

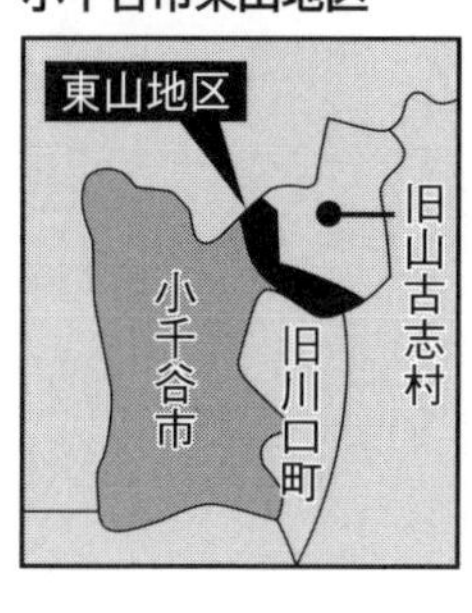

2004年の中越地震から6年となった10年10月、新潟日報は「ふるさと再生」シリーズとして、被害が大きかった中山間地の連載を始めた。復旧工事はほぼ終わり、被災者の生活は落ち着いた。しかし、被災地は過疎高齢化に拍車が掛かり、先行きが危ぶまれる集落もある。県は地震7~10年を復興への総仕上げの段階と位置付けるが、新潟モデルとなる「活力に満ちた中山間地の再生」は実現できるのか。そのための課題を現場から探った。それは、期せずして起きた東日本大震災で被災した農漁村の将来を占うことにもつながる。第1シリーズは人口流出が特に深刻な小千谷市東山地区で、集落存続の可能性を考えた(肩書、年齢は新聞掲載当時のまま)。

山里の行方1　激減

移転制度　過疎に拍車
柔軟運用　皮肉な結末に

色づき始めた谷間をサラサラと流れる荷頃川。両脇の斜面に点々とあるのは、養鯉施設と農作業小屋ばかり。かつて民家が並んでいた土地は雑草に覆われ、コスモスが秋風に揺れる。

「まさかこんなに減るとは思わんかった」。小千谷市東山地区の荷頃集落。区長の平沢稔久さん（62）は空き地を見つめてつぶやいた。

東山地区では、震災前の10集落約300戸から、9集落約160戸へと世帯が半減した。中でも減少率が高かった荷頃は42戸から11戸となった。

「もう盆踊りも開けない。将来の展望とか新しい事業なんて、ちょっと考えられない」。平沢さんはとつとつと語った。

震災後から今春まで区長を務めた平沢秀友さん（61）は、今も思いが晴れない。「ムラを出る人にだけ、団地造成や格安での土地販売などさまざまな恩典があった」。秀友さんらは、公的支援が移転する住民に偏っていると感じた。「行政が出なさいと言っているようなものだった」

◇　◇

残った住民に追い打ちを掛ける形になったのが、移転した住宅跡地の利用制限だ。多くが危険区域に指定され、住宅を建てることができない。

もともと防災集団移転は10戸以上が要件だが、中越では国や県が特例として4、5戸から適用を認めた。実施主体の小千谷市は、各世帯の意思に柔軟に対応。その結果、荷頃では19戸が制度を利用し、モザイク状に危険区域が残った。斜面に沿った集落はただでさえ少ない宅地が軒並み、人が住めない区域になった。

長岡造形大復興支援センター長の沢田雅浩准教授は「個々の被災者から見れば、移転制度はすごく機能した。しかし皮肉なことに、集落に残る人にとっては、土地利用が大幅に限られ、住みよい環境に変える可能性が狭められた」と指摘する。

雪処理の負担を減らすために寄り集まるといった計画的な土地活用は、ほぼ無理。東山に別荘を求める首都圏の住民もいるが、そうした一時居住者の誘致や交流人口の増加も難しくなった。

「10年、20年後を考えると、恐ろしい。今ごろ集落を持続しろと言われても、おれらにしたら存続しづらい状況にさせられたというジレンマがある」。秀友さんは語気を荒らげた。

◇　◇

稔久さんの自宅は、集落中心部に架かる橋のすぐ上にある。震災前、上流側には民家が20軒近くあったが、今は稔久さんの1軒だけだ。

「各世帯の都合だけじゃなく、集落をどうしていくか、早い段階からみんなで話

移転した住宅の跡地脇にしゃがむ平沢稔久さん。「ここは2軒続いていた。昔は東山でも大きい集落で、活気があったのに」＝小千谷市の荷頃集落

し合えばよかったのかもしれない」と稔久さん。「もう軒数が増えることはないだろう。自分も残ってよかったのかどうか…複雑ですね」

災害による移転

団地造成や住宅ローンの利子補給など1戸当たり最大1655万円を補助して集団で移転する防災集団移転事業（防集）と、個別に移転するがけ地近接等危険住宅移転事業（がけ近）がある。いずれも移転した家の敷地は災害危険区域に指定され、住宅は建てられない。防集は長岡、小千谷両市の10集落で97戸、がけ近は4市の42戸が対象となった。小千谷市東山地区では荷頃など6集落が防集を利用し、うち十二平集落は全戸が移転。長岡市には防集で同じ集落内に移転したケースもあるが、小千谷市は移転先をすべて平場の団地とした。

（2010年10月17日）

山里の行方2　愛郷

除雪の不安　帰村阻む
細る集落　世帯負担増える

「山菜が出る春や夏は寂しいろも、ここは冬場だけは極楽だの」。小千谷市千谷（ちや）の平場にある復興公営住宅。こたつで友野広徳さん（77）が口を開いた。妻秀子さん（76）がうなずく。「ほんに。山は雪がすごくて年寄りだけで住めないからのう」

二人は2004年の中越地震まで同市東山地区の塩谷（しおだに）集落に住んでいた。揺れが激しく、3人の児童が犠牲になった地だ。夫妻の自宅も倒壊、営んでいた養鯉業も池が壊れて廃業。「もう絶望しかねぇ」。広徳さんは仮設住宅でそうこぼし、酒を浴びるように飲んだ。

震災で塩谷は49戸から20戸に減った。友野夫妻は「小さい小屋でも建てて帰りたい」と言っていたが、周囲が移転を決めるのを見て断念した。戸数が減れば、各家の除雪の負担が増す。一冬に4、5回は雪下ろしをする塩谷。そのたびに小千谷市街地に出た長男やムラの住民の手を煩わすわけにもいかないと思った。

06年末に公営住宅に入居し、あきらめがついた。集合住宅では雪かきの不安がない。塩谷からは公営住宅に9戸、隣の造成地に11戸が移転し、以前と同じ付き合いができる。長男の一家とも行き来しやすくなった。

「塩谷で70年も暮らした私らが出ざるを得ないんだっけ、平場で働く若手が住むのはなおさら厳しいろうのう」。秀子さんはつぶやく。「50軒みんなで帰るならまだしも、一度バラバラになっちまうと、もう駄目だの」

震災後、東山地区では多くの高齢者が後ろ髪を引かれる思いで山を下りた。塩谷の隣の荷頃(にごろ)集落から長岡市に引っ越した平沢藤一郎さん(74)は、軽ワゴン車で毎日のように集落を訪れる。

「若いもんと一緒に町場に出たけど、なかなかなじめないのお。山に来れば畑はあるし知ってる顔ばっかだ。年寄りにとっては山がいい」と平沢さん。「(移転に)

はんこ押さんきゃいかったかなぁ」と漏らす。

42戸から11戸に細った荷頃。除雪はもちろん、道路や神社など共有施設の維持管理も懸案だ。区長の平沢稔久さん（62）は「春の道普請だけでも大変。今は出た人にも声を掛けて30軒ぐらい集まるが、将来はどうなるか」と頭を悩ます。

◇　◇

塩谷から小千谷市街へは、荷頃との間にある塩谷トンネルをくぐって向かう。友野広徳さんらが「集落の悲願」と、故田中角栄元首相に陳情を繰り返してできた道だ。

集落繁栄の思いが込められた塩谷トンネルの前で、父の慰霊碑に手を合わせる友野広徳さん＝小千谷市塩谷

先日、2カ月ぶりに塩谷を訪れた広徳さんはトンネル前にたたずんだ。「角栄さんに『引っ越し道路にしなさんな』と言われたんだがのう」。かつて住民を冬場の孤立や出稼ぎから解放した「命のトンネル」は、流出の歴史の象徴にもなった。

入り口脇には、田中元首相揮毫（きごう）の「明窓之碑」と広徳さんの父の慰霊碑が並ぶ。父はトンネル開通前にあった手掘り隧道（ずいどう）の掘削中、落盤事故で命を落とした。「移転は時代の流れ、しょうがねえ」。広徳さんは自らに言い聞かせるように語り、慰霊碑にひざまずいて静かに手を合わせた。

塩谷トンネル

塩谷と荷頃を隔てる雨乞（あまごい）山を貫く。長さ512・5メートル。総事業費約10億円で、1983年に完成。当時、塩谷集落は約60戸あった。

（2010年10月18日）

山里の行方3　閉園

流出で保育環境一変
世代交流の場　惜しむ声も

保育園が閉まる――。中越地震で世帯が約160戸に半減した小千谷市東山地区で9月末、また一つ切ない知らせが各集落を駆けめぐった。

東山保育園では、地震が起きた2004年度に約20人いた園児が震災後、急減した。06～07年度に開設要件の「10人以上」を下回り、08年度から休園中。今後も入園児が9人以下にとどまる見通しとなり、市が住民説明会を開き、10年度末の閉園方針を伝えた。

「小3の娘も卒園したし、5カ月の娘もできるなら通わせたかった。でも地震があって子どもが一気に減ってしまったから」。自身も卒園した小千谷市中山の主婦佐藤真樹さん（34）は顔を曇らせた。「遠くの保育園に通わせるのは送迎が大変だし、どうしていいか分からない」。震災による流出が子育て環境を変えた。

◇　◇

実は、市は2年前に閉園する方向だった。「地震から5年もたたずに閉めると言われても希望が持てない」「地震直後に子どもの未来を託す施設をなくさないでほしい」。地区内の9集落でつくる振興協議会が強く要望したため、市は結論を先延ばしにした。

地区の幹線道路沿いの市東山連絡所に併設された保育園は住民のよりどころの一つだった。連絡所で高齢者の集いなどがあるたびに園児が歌や踊りを披露し、世代を超えた交流の場だった。

月1回、連絡所で高齢者サロンを開く地区福祉会の平沢昇会長（79）は「以前は毎月の園児との触れ合いが楽しみだった。年寄りは子どもの声を聞くだけでもうれしい。閉園は本当に残念だ」と悲しむ。

住民には、閉園が東山小学校の将来にも影響しかねないとの懸念もある。同小も地区内の3校が統合して開校した02年度に70人以上いた児童が、現在は23人に減った。学校近くに住む坂詰サナエさん（71）は「地震で嫁をもらう世代が町場に出てしまった。このままでは子どもがいなくなって、地域のつながりも途切れてしまう」と不安を口にする。

同小の小栗正直教頭は「学校は地域のシンボル。しばらくは20人台が続く見込みだから大丈夫」と話す。しかし市職員の一人は「東山は世帯や子どもの減少が、市内でも顕著。何年か後には小学校の閉校問題も出てくると思う」と指摘する。

◇　◇

閉園説明会を受け、各集落は対応を協議する。ただ、今度は閉園先延ばしを求める声が出ても要望が通るかは微妙だ。

休園で縫いぐるみや絵本の束が置かれたまま、園児の歓声が消えて久しい東山保育園の保育室＝小千谷市南荷頃

地区の4歳以下の子ども20人の親を対象にした市の意向調査では、入園を希望する子が9人いたのに対し、希望しない子も9人（無回答2人）と割れた。同園がへき地保育園で延長保育や給食がなく、共稼ぎの親が利用しづらいためだ。ある区長は「生活スタイルが変化している。へき地保育園を続けるのは難しいのではないか」と漏らした。

地震で損壊し、大規模改修した東山保育園。きれいな保育室には、ピアノや絵本が無造作に置かれ、園児の名前を書いた張り紙が壁に揺れていた。

（2010年10月19日）

東山保育園

1979年に交通事情の不便な地域での保育ニーズに応えるため開設されたへき地保育園の一つ。かつては小千谷市内各地にあったが統廃合が進み、今は東山と高梨の2カ所だけ。

25年分一気に過疎化
増す負担　集落維持へ連携

２００４年の中越地震で世帯が半減した小千谷市東山地区。「地殻変動が起きた」。朝日集落に住む片岡哲太郎さん（66）は地域の変ぼうをこう表現する。「このままではみんな限界集落になって、よそとの格差が出るばかりだ」と片岡さん。９集落を一つの町内会にまとめることを提案し、08年に検討会をつくって会長を務めた。

背景には、強い危機感がある。長岡造形大復興支援センター長の沢田雅浩准教授が過去の人口動態から推計、東山の現在の人口は、地震がなかった場合の２０３５年ごろのデータに酷似していることが明らかになった。震災で加速した転出が、過疎化の時計を25年分、四半世紀も早めたのだ。

沢田准教授は「人口減少が著しく、陳情とか祭りとか一緒にできるものは一緒にしないと。各集落がすべてやっていたのでは、もたない」と警鐘を鳴らす。

◇　◇

もともと9集落が競い合い、もり立ててきた東山地区。しかし震災後、世帯が3分の1以下に急減して盆踊りが開けなくなった荷頃(にごろ)のように、各集落が行事や共有施設の維持管理に苦労するようになった。

町内会費も月額4千円以上と平場に比べて負担が大きい集落が多い。さらに沢田准教授の試算でこのままなら2020年には会費を2倍にしても赤字になると分かった。

同地区の地域復興支援員を務める渡辺敬逸さん（32）は「個々の集落で疲弊するところが出ても、東山が一つにまとまれば、まだまだ長期的にやっていける」と検討会に協力した。

しかし、各集落の代表による話し合いは難航。最も奥に位置する塩谷(しおだに)などには「平場に近い集落が中心になって、埋没してしまう」といった懸念や反論も根強かった。

なかなか議論がまとまらず、結局、一町内化は先送りに。ただ、9集落を一本化した新しい会計をつくり連携を進めることだけは決まり、ことし4月に東山地区振興協議会が設立された。

◇　◇

「東山に残った人間はみんな腹くくったんだ」。片岡さんは地区運営に道筋が付いたことに、手応えを感じている。「各集落に不安があって当たり前。地震前は議論の必要性すら感じていなかった。みんなで話したことが一番の収穫だ」

協議会の設立総会には地区の約160戸から116人が参加し、合同盆踊り大会

山あいに集落が点在する小千谷市東山地区。小栗山集落の上空から荷頃、塩谷方面を望む＝本社ヘリから

などを開くことを決めた。

手始めに今夏、都会の中学生の田舎暮らし体験旅行に協議会が協力し、生徒を各家庭に受け入れた。９月には初めて地区合同の敬老会を開いた。

全国の被災地を研究する平井邦彦・山の暮らし再生機構副理事長は「集落や町内会の再編はどこも反対が強く、うまくいった事例がほとんどない」と指摘。その上で「過疎が進む地域を維持するには、いずれ検討しなければならないステップ。もし東山で進めば画期的だ」と語った。持続可能な地域の在り方の模索に注目が集まる。

（２０１０年10月20日）

結束強めた伝統文化
外部支援も力　活性化図る

「牛を地震で失っていたら、もっと復旧に時間がかかっていたと思う」。小千谷市東山地区の岩間木（いわまぎ）集落。平沢隆一さん（41）は自宅の牛舎でわらをほおばる「平野屋号」を見つめ、つぶやいた。

２００４年秋の中越地震では牛舎の倒壊で多くの闘牛が犠牲になった。平野屋号は牛舎が傾いただけで難を逃れたが、避難勧告を受け、助かった牛たちを連れて東山から出ることになり、隆一さんは牛飼い仲間と牛舎の確保に奔走した。

「正直、もう飼えねぇかもしれないと覚悟したさ」。自宅は半壊。冬場は市内の牛舎を借りてしのぎ、春からは牛を東山に戻し、仮設住宅から世話をするために通った。

周囲の「人間が大変な時に牛なんか」という声も耳に入った。「牛は家族同然。いない生活は考えられねかったな」と隆一さん。牛への愛情が折れそうになる心を支えた。

震災で世帯数が半減した東山地区。しかし、地区の牛飼いは震災前が22人、現在は20人とほとんど減っていない。住民を山里につなぎとめた要因の一つが、伝統の「牛の角突き」だった。

◇　◇

角突きを主催する小千谷闘牛振興協議会の平沢忠一郎実行委員長（58）は「地震がばねになって、みんなが結束した」と述懐する。

震災で角突きの知名度も上がった。会員数は震災前の50人から80人に、牛の数も40頭から50頭に増えた。特に、地震前は2人だった県外のオーナーが現在は7人もいる。顔ぶれも東京の大学教授、弁護士、アナウンサーらさまざまだ。

角突きの際などにはこれらの人たちが東山に集まる。東京から嫁に来て、家族の飼う牛の世話をする中山集落の川上美代子さん（66）は「一緒に角突きの将来を考えてもらい、活性化につなげていけたら」と期待を寄せる。

◇　◇

地区内の小千谷闘牛場近くでは、共同牛舎の建設が進む。県中越大震災復興基金の補助を受けて11月には完成する。隆一さんはそこで、外部オーナーから委託を受けた牛を世話する予定だ。

これまでは外部オーナーの牛を預かる牛舎が不足し確保に苦労してきたがそれが解消される。隆一さんは「遊びに来た人が気軽に牛と触れあえる交流の場にもしたい」と新しい拠点に期待する。

今月3日の角突きには、隣接する長岡

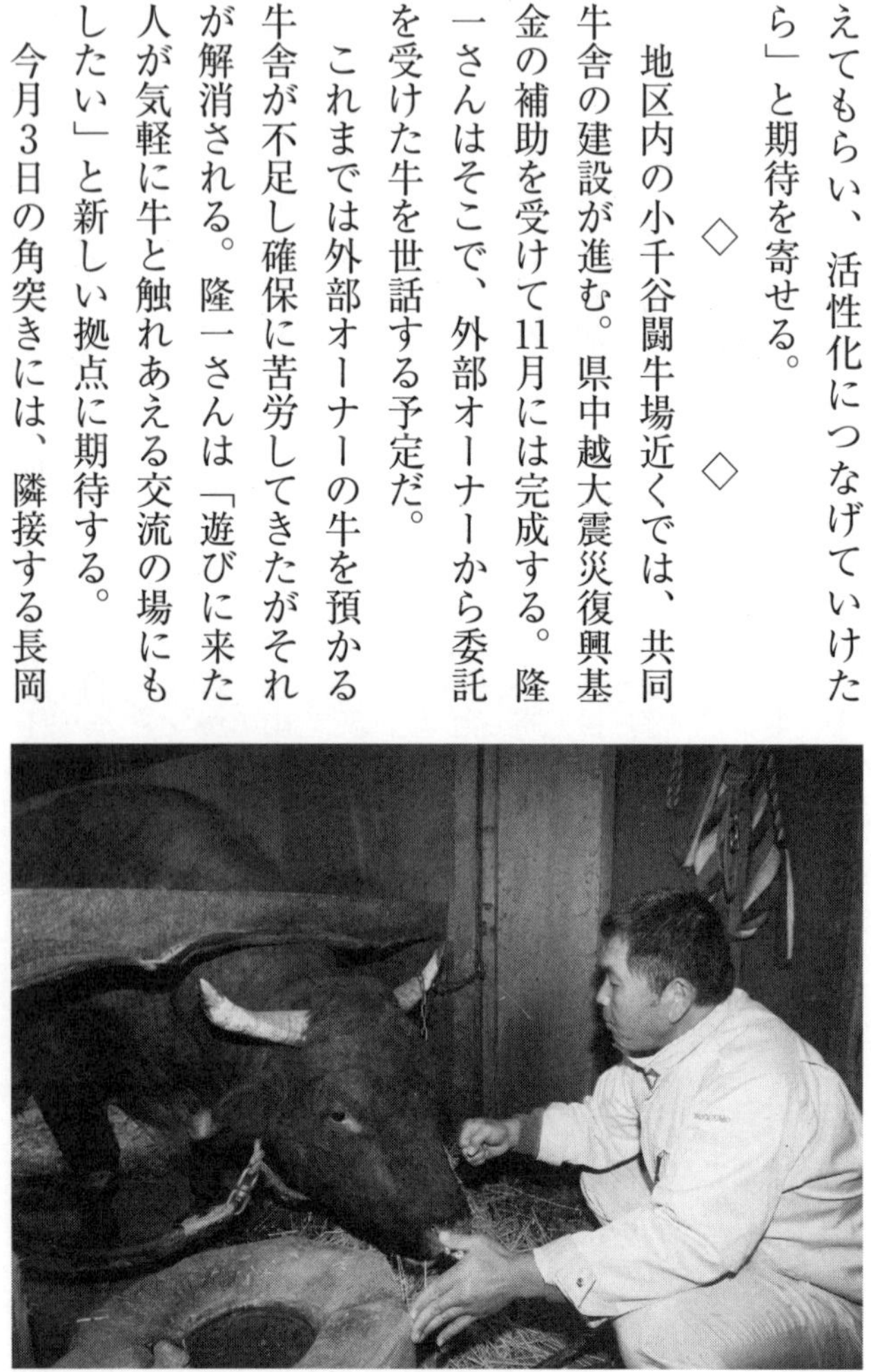

中越地震後に新築した自宅の牛舎で、愛情を注ぐ平野屋号の世話をする平沢隆一さん－小千谷市岩間木

市山古志地域の牛も参加した。かつては「二十村郷」と呼ばれて深いつながりがあった東山と山古志で、震災から途絶えていた横綱対決が復活した。

世帯減少が集落の存続に影を落とす中、忠一郎さんは「外部のサポーターの思いや、山古志との連携を大事にしていきたい」と語る。山の暮らしと文化を象徴する角突き。その伝統を継承するためにも地区外との交流を強める必要があると考えている。

（2010年10月21日）

牛の角突き

国指定重要無形民俗文化財。小千谷市東山と長岡市山古志に伝わり、江戸時代に滝沢馬琴が書いた南総里見八犬伝にも記述が残る。小千谷市は東山地区の小栗山集落にある小千谷闘牛場で5月から11月まで月1回、開催される。

山里の行方6　交流

若者派遣　復興に一役
長期施策へ組み入れ課題

柔らかな夕日を浴びて一心にかんなを掛ける。続けるうちに、シャッ、シャッとスムーズに削られるようになった。「お、うまくなったな」。指南役のお年寄りが声を掛けると「えへへ、そうでしょ」と笑顔を見せた。

小千谷市東山地区の市連絡所。加藤由希絵さん（31）は中越地震6年となる23日の準備に忙しい。この日は、連絡所前でキャンドルを飾る竹筒にかんな掛けをした。

「東山は初めてなのに懐かしい感じ。妙に落ち着く」と加藤さん。三重県出身。農水省の「田舎で働き隊」事業で今月から半年間の予定で、東山に住み始めた。三重県でのタウン誌編集やテレビディレクターの経験を生かし、広報紙を作ったり、写真展を企画したりしている。「いいところをどんどん発信したいし、外からの視点で、地元で認識されていない宝物を探したい」

　同連絡所を拠点に、地域復興支援員の渡辺敬逸さん（32）と活動する。世帯が半減した東山で、2人は貴重な若手だ。渡辺さんは「次代に続く住みよい地域にする手助けをしたい」と語る。

◇　◇

東山のように過疎高齢化に悩む農山村へ、行政の主導で若者を送る動きが近年、加速している。

　震災3年後の2007年度に県が始めた復興支援員はその先駆け。国でも農水省や総務省が08年度ごろから着手し、09年の政権交代以降、急増した。

　国の政策や農業ビジネスに詳しい、新潟市の事業創造大学院大学の川辺紘一教授は「以前は地方の振興策といえば公共事業だったが、コン

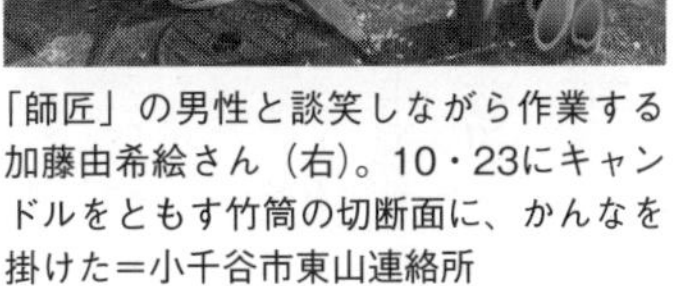
「師匠」の男性と談笑しながら作業する加藤由希絵さん（右）。10・23にキャンドルをともす竹筒の切断面に、かんなを掛けた＝小千谷市東山連絡所

クリートから人への流れが顕著だ」と指摘。「都市の雇用対策の狙いもある。人手不足の農村を雇用の受け皿として若者を送り、地域資源を活用して起業などにつなげる一石二鳥の取り組み」と解説する。

県震災復興支援課も「山間集落が発展的に持続するためには、新たな力や若い担い手が必要」と12年度まで支援員事業を続ける。渡辺さんの活動は、町内会の再編計画や地元産品を活用した新たな生業づくり、荒廃した農地の活用など幅広い。渡辺さんは「やりたいことはたくさんあるが、期限までにどこまでできるかが心配」と言う。

◇　◇

震災後、「よそ者」を積極的に受け入れる住民が増えた。18戸から5戸に減った首沢（つむりさわ）集落。加藤さんがあいさつに回ると、川上洋子さん（60）は「お茶でもどうぞ」と招き入れ、話し込んだ。

「東山は人が本当にあったかい」と加藤さん。震災後に農家民宿を始めた川上さんは「地震でさまざまな方と知り合えたからこそ、今がある。5戸だけでも、いろんな人が通ってくれるから頑張ろうと思える」と話す。

震災で過疎化が四半世紀も進んだとされる地域を震災をきっかけにしたきずなが支える。平井邦彦・山の暮らし再生機構副理事長は指摘する。「復興支援員のような仕組みを長期的な施策にどう組み入れるかが今後の課題だ」

地域への人材の派遣

農水省の「田舎で働き隊」は2009年度から本格展開。農林漁業の研修生として09年度は予算8億円で300人、10年度は6億7千万円で300人以上を送る。内閣府は農林漁業や福祉などでの起業を進めるため10、11年度で計70億円をかけて800人の起業家支援と1万2千人の研修生派遣を進める。総務省も08年度から集落支援員事業に取り組む。県は中越大震災復興基金事業として地域復興支援員を07年度に一部被災地で試験的に始め、08~12年度は年2億7千万円で約50人を配置している。

（2010年10月22日）

交流活動の場は財産
薄れる一体感　活性化遠く

さわやかな秋晴れの休日となった17日、中越地震6年を前に、小千谷市の塩谷（しおだに）集落に「芒種庵（ぼうしゅあん）を創（つく）る会」のメンバー20人が集まった。

震災で亡くなった児童3人の慰霊碑を念入りにふき、落ち葉をはいた。共同畑でソバを収穫し、古民家の芒種庵にまきを運んで冬支度を整えた。「この活動はずっと続けたい。やってて楽しいしね」。作業に参加した星野宏さん（47）は笑顔を見せた。

世帯が半減した東山地区でも奥まったところにある塩谷。集団移転などで49戸のうち29戸が山を下りた。長男の一輝君＝当時（12）＝を失った宏さんもその一人だが、「創る会」の役員として足しげく塩谷に通い、つながりを保つ。

被害が甚大だった塩谷には震災後、多くのボランティアや学生が入り、住民を勇気づけた。芒種庵はそうした若者やムラを離れた人の交流拠点となり、現在も80人以上の会員がいる。

◇　◇

塩谷には住民が外部の学識者らと復興を考える「塩谷分校」もある。２００８年に大阪大の渥美公秀准教授の協力でできた。「山から風を吹かせようという意気込みだった」。初代代表の関芳之さん（58）は力説する。「復興を願ってくれたみんなの思いが本校。住みやすく、豊かなムラになるよう知恵と力を付けていく場が分校だ」

小さな集落としては画期的な試みだった。分校には県内外の第一線の学者やボランティア、中越同様に山間地が被害を受けた１９９９年の台湾大地震の被災者ら多彩な講師が駆け付けた。座学と稲刈りツアーなどの〝実習〟も組み合わせ、県内外の学生も集まった。

しかし―。最初は20人以上いた参加住民が少しずつ減った。現在、月１回の会合に出るのは7、8人。前区長の関邦宇さん（67）は「みんな日常生活が軌道に乗って忙しくなったせいもあるが、座学から実現に移すのが難しい」。代表の友野正人さん（55）は「外の人との交流は刺激になるろも、民宿をやるとか、具体的な成果、活性化の道筋がなかなか示せねえんだて」と苦労を語る。

◇　　◇

震災6年を前に、集落で犠牲になった児童3人の慰霊碑を清掃する「芒種庵を創る会」メンバー＝小千谷市塩谷

最初は芒種庵も分校も、震災で半数以上が離れた集落で再びみんなが集まる狙いがあった。「でも、出た人と残った人で、どうしても温度差や壁ができた」と友野さん。芒種庵は出た人、分校は残った人が中心という色分けができた。両方にかか

わる関芳之さんは「仮設住宅にいたときまではムラの一体感があったがぁろも薄れてしまった」と悩む。

渥美准教授も「私たちはよかれと思ってやったが」と少し戸惑いを感じる。「塩谷にたくさんの支援が入ったが、どこがよくて、改善すべきな点は何か、一度考えないといけない」

「塩谷は今が一番苦しいとき」と芳之さん。「それでも」と続けた。「分校などは貴重な財産。何としても次代につなげないといけねえ。そういう意味では、おれらにとって地震はまだ終わってねえがぁて」

（２０１０年10月23日）

（この連載は長岡支社・小原広紀、小千谷支局・石田篤志が担当しました）

ふるさと再生

帰村の向こうに

山古志のいま

長岡市山古志地域

2004年の中越地震で甚大な被害が出た旧山古志村。全村避難した被災者たちは、山での生活再建を目指した。「帰ろう山古志へ」—。その合言葉は全国的に共感を呼び、支援の輪が広がった。行政もふるさとでの生活再建を積極的に後押しし、約7割がムラに戻った。東日本大震災の被災者たちからは「復興の目標」とも言われるようになった。しかし一方で、震災前よりも住民が減り、過疎高齢化が落とす影が年月とともに色濃くなるのも事実だ。07年末に仮設住宅からの退去が完了して間もなく3年となる10年11月、新潟日報「ふるさと再生」第2部では、長岡市山古志地域の状況を追った（肩書、年齢は新聞掲載当時のまま）。

団地に残る集落の枠
人口減に不安　合併も模索

団地には見えない境界線がある。青木サヨさん（61）は週に数回、自宅から遠く離れた収集所までごみを出しに行く。団地内のすぐそばにも収集所はあるが、ほとんど使ったことがない。「楢木（ならのき）の人は『使って』って言ってくれるんだけど、何となく気が引けてね…」

長岡市山古志地域の造成団地「天空の郷（さと）」。16世帯の小さな団地だが、楢木集落の12世帯と池谷集落の4世帯に分かれる。サヨさんは約200メートル下に9世帯が暮らす池谷集落の方に属す。

地震前、飛び地にぽつんとあったサヨさんの家。その周りに団地ができた。「前は1軒だけだったが、にぎやかになった」とサヨさんの夫の尊男さん（69）は言う。

ただ、いまもごみは池谷の収集所に出す。集落の会合は、すぐ裏手にある楢木の集会所ではなく、急な坂を下って池谷集会所まで出向く。楢木の回覧板が回ってくることもない。同じ団地に暮らしてもムラの枠組みは震災前のままだ。

◇　◇

牛舎倒壊で2人が犠牲になるなど壊滅的な被害を受けた楢木は、29世帯のうち17世帯が離村。残った住民は震災3年後の07年に小規模住宅地区改良事業を活用し、池谷と接する同団地に引っ越した。池谷も34から13世帯に減った。

帰村の過程で、両集落と、同じく21から12世帯に減った近くの大久保集落との合併話が持ち上がった。3集落は山古志の中で特に離村率が高く、先細りが目に見えていたためだ。もともと同じ学区で三ケ村（さんが）と呼ばれ、関係も深かった。

しかし、住民は集落維持を主張。3集落がそれぞれ集会所と神社を再建、個別の営農組合も設立し、自立を宣言した。

◇　◇

帰村から3年。大久保では盆踊りもさいの神もなくなった。区長の五十嵐与吉さん（80）は「5、6人で盆踊りもないだろう。何をやるにも10軒やそこらじゃ成立しない」と顔をしかめた。3集落とも役員の引き受け手が少なく、営農組合は「いつまで維持できるか」と不安の声も漏れる。

そうした中、住民の気持ちには少しずつ変化が生まれてきた。「いま暮らすのには困らんよ。だけど、どっかでまとまらなかったら5年、10年先が見えない」。団地から池谷の家々を見下ろし、尊男さんはつぶやいた。

もうすぐ帰村から3度目の年越しだ。先日、3集落の区長が顔を合わせ、小正月のさいの神を合同でやることを決めた。集落

高台にある天空の郷。左手に見える池谷集落に属する住民と、移転した楢木集落の住民が暮らす＝2010年11月27日、長岡市山古志南平

の枠を超えた行事は帰村後初めて。かつて集落再編を唱(とな)えた池谷の青木幸七さん(73)は「合併ありきの話ではないが、これをきっかけに一体感が生まれれば」と期待する。

会場の楢木集会所にはもう、カヤとわらが準備してある。

（2010年11月29日）

小規模住宅地区改良事業

山古志地域への住民帰村を支援するため、楢木、大久保、池谷、油夫(ゆぶ)、梶金、木篭(こごも)の6集落に適用された。小千谷市東山地区などが活用した防災集団移転事業（防集）と異なり、現地で住宅再建が可能。被災した不良住宅の撤去や公営住宅の建設、道路整備などができる。国の補助率は、公営住宅建設や用地の取得・造成で3分の2など、メニューにより異なる。事業主体となる長岡市の負担は防集を利用した場合よりも大きくなる。

高齢者　行く末に不安
負担のしかかる住宅再建

日が暮れた午後5時すぎ。集落の外れに立つ真新しい家は夕闇に包まれたままだった。「お金がもったいないんで、電気つけないですて」。孫からプレゼントされた座いすに座り、テレビ画面だけが闇に浮かぶリビングで、一人暮らしの女性（71）はつぶやいた。

長岡市山古志地域の梶金集落。中越地震で倒壊した築100年近くの自宅を3年前、約1千万円の貯金をはたいて建て直した。暮らしてみて以前に比べて出費がかさむことに驚いた。電化製品に囲まれ電気代が急増、沢から引いていた水も水道になり下水道代も掛かる。「公共料金で月4万円の年金が消えてしまう。好きで戻ってきたけど生活は楽ではないね」。電源を入れずに湯たんぽで暖めたこたつに足を突っ込んだ。

山古志地域は震災後、高齢化率が上昇した。戻ったのは若手よりお年寄りが多かったからだ。自宅を建て替える余裕がなかった女性（77）も「生まれたとこが一番。気楽でばっかいい」と同集落の復興公営住宅に入居。ただ、こうも言う。「心配になる。万一病気で倒れたら。この先どうなるんだろうって」。不安はつきない。

◇　◇

山古志の住民が帰村して3年。平穏を取り戻したかに見えるが、陰で苦しい生活を強いられる高齢者は少なくない。同集落の関信一さん（56）は「新築の家が並び、よその人に『金持ちが多いね』って言われるけどとんでもない。家を建てて貯金が底を突いた人がたくさんいる」と語る。

「『帰ろう山古志へ』と、無理に引っ張ってきたんじゃないかと責任を感じることすらあるんですよ」。忸怩(じくじ)たる思いを抱えた関さんはこの夏、3年間勤めた同市の財団法人「山の暮らし再生機構」を辞めた。機構で地域復興支援員の派遣を担当し、古里を支えてきたつもりだったが、「地元でもっと直接的な支援をできないかと思ったんです」。いまは山古志の建築会社に勤めつつ、住民に手打ちそばを振る舞うなど梶金に特化して活動する。

◇　◇

一人暮らしや高齢者だけの世帯について、同市山古志支所の星野美佐子保健師は「昔から地域のつながりが強い。隣近所がしっかり見てくれていて、幸い帰村後に孤独死は出ていない」と話す。

一方で、長年住民を診てきた山古志診療所所長の佐藤良司医師（65）は「お年寄りは辛抱強く、他人に迷惑を掛けたくないと問題を抱え込んでしま

節約のために部屋の明かりを消して過ごす独居の女性。「これからの時季、テレビを見るのだけが楽しみです」と言う＝長岡市山古志東竹沢

う」と指摘する。ある60歳代の女性はうつ病で同診療所に通ったが、病状は悪化した。疑問に思った佐藤医師は専門医を紹介し、診察結果を見て驚いた。女性は生活苦を抱えていたのに診療所で話していなかったからだ。

人口急減地域で、生活再建に伴う経済負担が高齢者の暮らしを揺さぶる。佐藤医師は警鐘を鳴らす。「福祉関係者がかなり情報を密に交わさなければ、最悪の事態だって起きかねない」

山古志の高齢化

高齢化率（人口に対する65歳以上の割合）は、中越地震直前の２００４年が37・０％だったが、ことしは43・６％になった。市内の合併したエリアの中で最も高い。ことしの独居の高齢者は76世帯。高齢者だけの世帯は95世帯、１９２人だった。

（２０１０年11月30日）

帰村の向こうに3　空室

復興住宅　将来見えず
収入基準　独自緩和難しく

隣室はずいぶん前から空室のままだ。「この先、団地が空っぽになったらどうしようって毎日話してるんよ」。長岡市山古志地域竹沢集落の復興公営住宅で暮らす田中カズさん（69）は、夫の清さん（76）と顔を見合わせた。

２００4年の中越地震後、自力で住宅再建できない被災者のために建設された山古志地域の復興住宅。06年末に入居が始まってから4年。入院による退居や死亡者が出て、地域内全35戸のうち3戸が空いている。

10戸ある竹沢団地も一人暮らしの高齢男性が2月に退居し、１部屋が埋まっていない。「この団地はじいちゃんばあちゃんばっかだ。うちも2人とも体調が悪くてその日暮らし。いつまで暮らせるか」と清さんは言う。

平場だけに復興公営住宅を建てた小千谷市と対照的に、長岡市は全村避難した住民の帰村を支援するため、あえて山あいの山古志地域に整備した。賃貸料も安いことから、7割を超える帰村率に貢献した。しかし震災から6年が過ぎ、新たな課題にぶつかっている。

◇　◇

復興住宅に入居するのは、多くが年金暮らしの夫婦や単身者だ。竹沢集落の区長、星野清剛さん（59）は「これからはくしの歯が欠けるように空室が増えるだろう」と懸念する。周りの住民はみな自宅を再建したばかり。山古志全体で人口減が予想される中、入居希望者の増加は考えにくい。「建てたばっかりで空き室にしていくのはもったいない。街から若い人が来てくれたらいいとは思うが…」

復興住宅には、原則として入居世帯の月収の上限を11万〜15万円とする基準がある。当てはまる勤労世帯は多くない上に、山古志は商店や勤務地が少なく、積雪が多いといったハンディもある。数十人の入居待機者がいる市街地の公営住宅と異なり、退居者が出れば空いたままの状態が続いている。

◇　◇

そもそも中山間地の復興公営住宅はほとんど例がない。「だからこそ制度変更を含めて使い道を議論し、山古志をモデルケースとして全国に発信していくべきだ」と強調するのは、長岡造形大復興支援センター長の沢田雅浩准教授。「復興住宅という財産を活用すれば、若い人が家を建てるリスクを背負わずに山で暮らせる。地域の持続性につながるチャンス」と指摘する。

ただ、復興住宅は国の補助金を受けており、公営住宅法に基づいた基準を自治体だけの判断で緩和することはできない。管理する市建築住宅課の中村仁課長補佐は「税金を投入したのに空き部屋ばかりということにはできないが、自治体に裁量権はない」と頭を抱える。

竹沢集落の復興公営住宅で、歩道を清掃する田中清さん。竹沢団地には15人が暮らす＝長岡市山古志竹沢

4度目の冬を迎える竹沢団地。小春日和の陽光が差し込む部屋で、カズさんは晴

れない胸の内を語った。「もう10年もたったら、誰もいなくなるかも。心細いよ」

復興公営住宅

　山古志地域では8集落で35戸あり、現在は32戸に49人が入居。2世帯1棟型や長屋風の集合住宅、戸建てがあり建設費は約6億円。中山間地の景観に配慮したデザインや、雪下ろしの負担がない自然落雪屋根を採用したことなどが特徴。小規模住宅地区改良事業を適用した5集落に建設された「改良住宅」と、適用外の3集落に建設された「公営住宅」に分かれる。改良住宅の収入基準は原則、世帯月収が11万4千円以下で部屋ごとに家賃が決められている。公営住宅の収入基準は原則15万8千円以下で家賃は月収に応じて異なるが、竹沢団地の家賃は1万9900円から。被災者にはほかに家賃の減免もある。

（2010年12月2日）

帰村の向こうに4　農業

有志結束「美田」守る
高齢者多く将来に不安も

「気を付けて帰ってね」。作業小屋を出るトラックの運転手に、小川一夫さん(65)は別れを惜しむように声を掛けた。荷台にはバラバラに分解されたコメの乾燥機。小川さんの小屋に残されていた最後の農機具が積み出されていった。

11月下旬、冷たい雨に煙る長岡市山古志地域の種苧原(たねすはら)集落。小川さんは若いころから続けてきた農業を3年前にやめた。2004年の中越地震による避難生活の後、息子らと同居するために市街地に家を建てたのがきっかけだった。

3年間の仮設住宅暮らしの際も片道1時間以上かけて通い、続けてきた農業。「この辺りの田んぼはほとんどわたしがつくった」。30~40歳代のときは「山に美田を」のスローガンの下、重機が昼夜問わずうなりを上げた。それだけに古里の農地への愛着は強い。

いまは県農業総合研究所に勤める小川さん。コンバインも田植機もなくなり、がらんとした2階建ての作業小屋で片付けの手を止めて、つぶやいた。「本当は戻って続けたかったよ」。

◇　◇

JA越後ながおか山古志支店によると、山古志地域の農家は地震前の約200戸から約130戸に減った。もともと高齢化と後継者不足が問題だったが、地震で農地が引き裂かれ、農機具が壊れたことが追い打ちを掛けた。

このため山古志の稲作農家の9割近くが集中する種苧原では、田んぼを守ろうと有志が06年に山古志営農組合をつくった。組合設立が浮上したのは仮設住宅にいたころだった。樺沢三治郎組合長（62）は「田んぼが駄目になって、集会所に集まっては『みんな離村して種苧原がなくなる』と話し合った」と振り返る。

離農した人から田植えや稲刈りなどを請け負い、当初は約2ヘクタールだった経営面積は4年目で約10ヘクタールに急増した。小川さんも田んぼの一部を託した。樺沢組合長は「財政状況は厳しいけど耕作放棄地を出したくない一心でやっている」と話す。

　◇

山古志の棚田は地震であぜやのり面が崩落したりひび割れたりした。地下水脈が変わり水の枯れたところもあった。復旧工事には国庫と県中越大震災復興基金から約9億円が投じられ、震災前の姿に戻った。

山古志では、同営農組合と08年にできた別の営農組合とが離農者の受け皿となり、耕作放棄地の増加を食い止めている。ＪＡ山古志支店長で、山古志営農組合員でもある佐藤幸夫さん（56）は「大量の税金で直してもらった耕地が荒れてしまっては申し訳ない。全国に知られた山古志ならなおさらだ」と強調する。

ただ、32人いる組合員は還暦を過ぎた人も多く、先行きは楽観できない。「年を

冬の訪れを前に水を張り来春の耕作に備える田んぼ。奥の斜面には棚田ごと飲み込んだ土砂崩れの跡が残る＝長岡市山古志種苧原

取り農業をやめる人がもっと増える。これからが正念場です」。急な山肌に幾何学模様を刻む棚田を見やり、佐藤さんは決意を口にした。

水田の復旧

国庫補助となる災害復旧工事と、県中越大震災復興基金の手づくり田直し支援事業が利用された。大規模な改修は国の補助を採用し、総面積は約83・4ヘクタール、総事業費は約8億3千万円。小規模改修は手づくり田直しを使う例が多く、約23・2ヘクタールで約6800万円だった。山古志の耕地面積は2009年に地震前の04年と同じ約201ヘクタールに戻った。ただ、水稲作付けは04年の133ヘクタールから09年は98ヘクタールに減少。長岡市農林整備課によると、水枯れによる作付け不能や転作などがあった。

（2010年12月3日）

帰村の向こうに5　交通

住民支えるバス運行
運営費課題　道筋見えず

幸運を呼ぶという四つ葉のクローバーをあしらったバスが山道を走る。長岡市山古志種苧原の樺沢キミさん（73）はほぼ毎週、市街地の病院への行き来に乗るのが楽しみだ。「みんな顔を知ってて、身内みたいなもんですて」。車内はさながら集会場のよう。常連客の世間話に花が咲く。

同市山古志、太田両地域を細かく回る「クローバーバス」。市街地との行き来には乗り換えが必要だが、高齢者や高校生、2004年の中越地震後に平場に下りて山古志の田畑に通う人らの貴重な交通手段だ。

「ほぼ全世帯が賛同しているのが意義深い」。運営するNPO法人・中越防災フロンティアの山口寿道監事は強調する。バスは両地域の世帯が会費を出し、運賃を無料にして運行。住民が地域交通を支える取り組みと注目され、山口監事は「山間地の公共交通モデルになりうる」と胸を張る。

◇　◇

ただ現システムでの運行は13年度まで。先行きは不透明だ。ネックは運営費。年間で県中越大震災復興基金の補助が１８００万円と大半を占め、市の補助が３６５万円。住民負担は約３００万円と１割強だ。

「バスは山古志の企業が運行し、地域の雇用につながっている。ほかの補助金事業を入れるなど、地域で稼ぐ手段にしたい」と山口監事。スクールバスや福祉バス、運送業など多角化し、継続させたい考えだ。

運行するのも地域外のＮＰＯから住民主体の組織への移行を模索する。バス創設にかかわった長岡技術科学大の上村靖司准教授は「行政や外部の人に頼り切るのではなく、住民が懐を見ながら最適なサービスを得られるよう新規事業を受注できるといい。〝新しい公共〟の先進例だ」と住民意識の高まりに期待する。

◇　◇

14年度の新組織移行を目指し今夏、同ＮＰＯや各区長らによる初の準備検討委員会が開かれた。しかし住民の関心は低く、議論は低調だった。出席した間内平集落の川上春雄区長（68）は「まだ先の話で、みんな本気で考えていないのでは」と漏らす。マイカーを持つ世帯が多く、バス利用者は全住民の1～2割と限られていることもその理由だ。

資金面でも復興基金がなくなるため、住民には「年会費や運賃が増えるのでは」と不安の声がある。虫亀集落の若槻敬区長（67）は「市がきちんと補助してくれないと困る。年金や生活保護の世帯はこれ以上負担できない」と語る。

市交通政策課は一定の財政負担はするとしつつ「小国や中之島も全域に路線バスがあるわけではない。山古志だけ特別扱いできない」と説明。行政の補助は運行費

クローバーバスに乗り込む山古志小中学校の児童、生徒。奥にはほぼ同じ路線を走るスクールバスが止まる＝長岡市山古志竹沢

の7割が目安とされ、8割以上を補助金で賄う同バスの移行の道筋は見えない。「車がないから、バスがなくなりゃ山にいらんなくなる。心配ですて」。樺沢さんは腰をかがめ、バスを降りた。

クローバーバス

地震後に越後交通の路線バスが廃止された山古志、太田両地域で、2008年7月から運行。山古志支所から、長岡市街地行きに接続する太田地区村松回転場までを基幹路線に、山古志内にほか3路線が走る。28人乗りマイクロバスなど4台を使う。日中などは事前予約が必要なデマンド方式を採用。正会員（年会費5千円）は全世帯の95・1％に当たる585世帯。地域外の人などの賛助会員（同3千円）は129人。会員は無料で乗車できる。年間乗車数は約4万人。

（2010年12月4日）

住民に疲れ 曲がり角
一歩引き 新たな関係探る

耕作放棄地で高さ50センチほどの雪椿が春をじっと待つ。「椿油が取れるまで5年近くかかる。それまで生きてられるかねぇ」。「やまこし小松倉雪椿研究会」の小林正会長（73）はつぶやいた。

手掘りの中山隧道（ずいどう）で知られる長岡市山古志地域の小松倉集落。2004年の中越地震前の25から14世帯に減少した。雪椿は、高齢者が椿油を売って現金を稼げるようにと同研究会が植樹した。

発案したのは同市の経営コンサルタント、丸山結香さん（46）だ。先細る集落を目の当たりにし「中山間地のビジネスモデルを示したい」と理想を掲げた。丸山さんの会社「やまこし道楽村」は06年に小松倉に事務所を構え、積極的に住民を引っ張ろうとした。

震災後、山古志には多くの企業やボランティアが支援に入った。土砂崩れダムで民家が水没した木篭（こごも）集落では、住民と地域外の人が「山古志木篭ふるさと会」をつくってイベントを開くなど、復興への力になっている例も多い。

小松倉でも住民は丸山さんに期待し、一緒に頑張った。女性たちは丸山さんのアドバイスを受け、中山隧道前で野菜を直売する「小松倉きちょっぱの会」を始めた。道楽村の予約制のカフェで慣れない接客を手伝った。

◇　◇

しかし、高齢で思うように動かない体を押して踏ん張る住民たちを見て、丸山さんにある感情が芽生える。「支援を押し付けて、無理をさせてないか」――。

地震直後はみな集落存続のために必死だったが、年月がたつにつれ、住民は落ち着いた生活を望んでいると感じた。「このままだと支援がおせっかいになりそうだった」。参加を強く求めず、一定の距離を置くようになった。雪椿研究会の会員50人のうち、集落の参加者は小林会長ら2人だけだ。

◇　　　◇

地震から6年が過ぎ、高齢化が進む小松倉。きちょっぱの会は10人ほどのメンバーが4人に減った。小川クニ子さん（68）は「直売は張り合いだし、続けられる限りはやるつもりだけど、体は難儀ですて」と話す。

一方、古民家を活用した道楽村のカフェは好評で、平場から若者が通い、働いている。来年からは椿油を使った料理も提供するつもりだ。椿油を「小松倉ブランド」として輸出する計画もある。「稼げる集落にする方向は間違ってない」。丸山さんは力を込める。

小松倉集落の耕作放棄地に植えられた雪椿の手入れをする小林正会長（右）と高野善計副会長＝長岡市山古志東竹沢

「今後は押し付けにならない形で住民との接点を再び増やし、共存していきたい」と丸山さん。集落での就業の可能性を見いだした道楽村が、住民との新たな関係をどう構築するかが課題だ。

市山古志地域復興推進室の平沢東さんは提案する。「小松倉には隧道の住民ガイドや農家民宿がある。道楽村の客にそれを利用してもらうなど、相乗効果が出るよう連携してほしい」

（2010年12月5日）

帰村の向こうに7　活力

アルパカが生む集客
新たな地域ビジネス描く

晴れ渡った11月下旬の土曜日、小さな集落に車の長い列ができた。カメラを構えた親子連れや若者が、10アールほどの牧場を取り囲む。「こんなににぎやかになるなんて。アルパカがやって来て全然違うムラになったね」。長岡市山古志地域油夫(ゆぶ)集落の関ミツさん(73)は目を細めた。

昨年、米国で牧場を経営する女性から活性化の一助にと贈られたアルパカ。現在は油夫、種苧原の両集落で計17頭を飼育する。来訪者は増え続け、油夫では数百台の車が連なった日もあった。

2004年の中越地震で地滑りが起き、大きな被害を受けた油夫。震災で世帯数が20から9に半減したムラに〝山古志のアイドル〟が活力を与える。関さんは夏から、集落の女性2人と一緒に牧場脇で直売所を開いた。「あんまり大勢の人が来るもんだからね。1年前なら思いもしなかった」

◇　◇

震災直後の全村避難と「帰ろう山古志へ」の合言葉はメディアで繰り返され、大きな反響があった。復興のかじ取りをした前山古志支所長の青木勝さん（60）は「他県の人に聞くと、中越地震の被災地として今でも名前が挙がるのは山古志だけだ」と言う。

地震で知名度が上がり、人を呼び込めるようになった山古志。土砂崩れダムに水没家屋が残る木籠（こごも）集落では、地震のつめ跡を見に訪れる人が平日でも絶えない。住民が始めた農家レストランや各集落の直売所もにぎわいを生んだ。

一方で、長岡造形大学復興支援センター長の沢田雅浩准教授は「地震で生まれた集客には賞味期限がある。震災や復興という枕ことばが外れた後のことを考えなければならない」と指摘する。

◇　◇

アルパカは「賞味期限」後につながる明るい兆しだ。山の暮らし再生機構の平井邦彦副理事長は「震災で壊れたところを見せるだけではない。山古志をジャンプアップさせる要素がある」とみる。震災に関心のなかった人たちが、アルパカをきっかけに被災地を見学することにも期待する。

アルパカ受け入れの中心になった青木さんは、「生活の中に牛や羊などの家畜がいた伝統的な山の暮らしを、集落で再現したい」と語る。来年からは刈り取った毛でニット製品を編み、地域ビ

アルパカを見にきた人でにぎわう油夫の牧場。アルパカは今月から来年５月ごろまで、種苧原の牛舎に移動して飼育される＝長岡市山古志竹沢

ジネスとして展開する未来図を描く。

「これからは高齢化した集落の住民だけでは難しい。地域外の人たちの力が必要になる」と青木さん。本年度中に株式会社を立ち上げ、協力者を募る予定だ。平井副理事長も強調する。「暮らす人が減って山が荒れることは、都市の土砂災害にも直結する。地震から6年、今後は山と平場との協力関係がさらに求められる」

（2010年12月6日）

（この連載は長岡支社・加藤祐子、長野清隆、本社報道部・塚本智裕が担当しました）

郵便はがき

9 5 1 - 8 7 9 0

料金受取人払郵便

新潟中支店
承　　認

1076

差出有効期間
平成25年2月
28日まで
（切手不要）

新潟市中央区白山浦2丁目645-54

新潟日報事業社 出版部 行

アンケート記入のお願い

このはがきでいただいたご住所やお名前などは，小社情報をご案内する目的でのみ使用いたします。小社情報等が不要なお客様はご記入いただく必要はありません。

フリガナ お名前		□男 □女 （　　歳）
ご住所	〒 TEL.（　　　）　　－	
Eメール アドレス		
ご職業	1. 会社員　2. 自営業　3. 公務員　4. 学生 5. その他（　　　　）	

●ご購読ありがとうございました。今後の参考にさせていただきますので、下記の項目についてお知らせください。

ご購入の書名	

〈本書についてのご意見、ご感想や今後、出版を希望されるテーマや著者をお聞かせください〉

ご感想などを広告やホームページなどに匿名で掲載させていただいてもよろしいですか。（はい　いいえ）

〈本書を何で知りましたか〉番号を○で囲んで下さい。

1.新聞広告（　　　　　新聞）2.書店の店頭
3.雑誌・広告　4.出版目録　5.新聞雑誌の書評（書名　　　　　）
6.セミナー・研修　7.インターネット　8.その他（　　　　　）

〈お買い上げの書店名〉　　　　　市区町村　　　　　書店

■ご注文について

小社書籍はお近くの書店、NIC新潟日報販売店でお求めください。店頭にない場合はご注文いただくか、お急ぎの場合は代金引換サービスでお送りいたします。

【新潟日報事業社出版部（販売）】電話 025-233-2100　FAX 025-230-1833

新潟日報事業社ホームページ　URL http://nnj-book.jp

ふるさと再生

絆生かして

震源地川口の模索

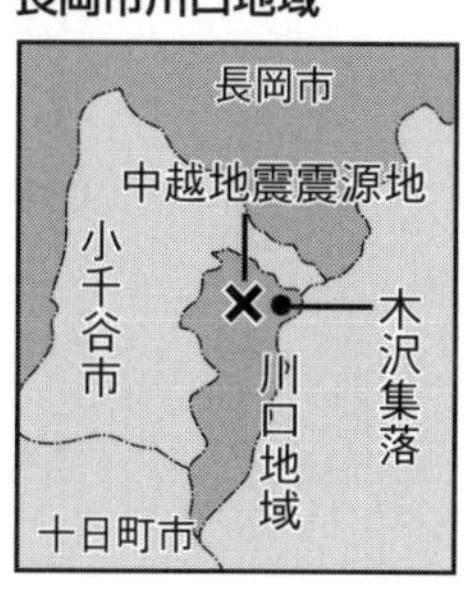

中越地震で、史上初めて地震計が震度7を記録した震源地・長岡市川口地域。多くの家屋が損壊し、山間集落の過疎高齢化に拍車が掛かった。疲弊した地域は、外部との交流に活路を見いだす。地震で得たボランティアらとの縁を生かし、行事を仕掛けて人を呼び込んだ。周囲の地震への関心は徐々に薄れる中、新たな住民組織の胎動も始まった。災害をばねにした地域活性化は東日本大震災の被災地でも今後、課題になる。新潟日報は「ふるさと再生」第3部として、大震災直前の2011年3月に川口の取り組みを描いた（肩書、年齢は新聞掲載当時のまま）。

交流施設運営に奮闘
都市部の活気　ムラを刺激

今年も積雪は3メートルを超えた。首都圏などの会社員や学生が屋根の上で慣れないシャベルを振るう。「雪庇(せっぴ)は落ちやすいすけ、気をつけろ」。地元の男性が笑顔でアドバイスした。

2月に長岡市川口地域の木沢集落で開かれた「雪かき道場」。参加者は、地域おこし団体「フレンドシップ木沢」の星野秀雄さん(70)らと雪下ろしに挑んだ。

同集落は雪下ろし道場をはじめ、山菜採りツアー、防災キャンプなど四季折々のイベントを催し、首都圏や関西、旧長岡市内から人を呼び込む。「木沢を元気にしたいから」と星野さん。「棚田と越後三山の眺望、山菜料理が喜ばれる」と手応えを感じている。

◇　◇

星野さんらが都市部との交流を進める背景には、集落存続への強い危機感がある。町場から約5キロ離れた山間地の木沢は、中越地震の震源地が目と鼻の先。震災で住宅の9割が全半壊し、世帯は震災前の55戸から37戸に減った。高校生以下の子どもは一人もいない。

「限界集落みたいなもんだて。今から人口を増やそうなんて無理。活気づけるには外部の人に来てもらうしかない」。星野さんはこう強調する。

木沢小学校が2004年3月に廃校になるなど、過疎高齢化は地震の前から深刻だった。将来を憂いフレンドシップ木沢を設立したのも震災の約5年前。だが「以前は行政主導で活動があまりなかった」(星野さん)。

そんな集落が、地震をきっかけに様変わりした。ボランティアや学者らとのつながりを生かして誘客イベントを仕掛け、交流人口が増えた。

「前からあった『何とかしないと』という思いに、外から人が大勢入ったことが刺激を与え、歯車が回り出した」。中越防災安全推進機構の稲垣文彦さんは指摘する。

◇　　　◇

10年春には、県中越大震災復興基金の助成で、旧小学校を改装した宿泊交流施設「やまぼうし」が正式オープンした。

フレンドシップ木沢が指定管理者になり、地元の主婦らが料理を出す。その一人、小林美知江さん（62）は「山菜料理をおいしいといってもらえるのが一番うれしい。今は町場でパートをしているが、お客さんが増えたら、この仕事一本でやりたい」と期待する。

昨年11月までの利用者は日帰りも含めて約800人。しかし12月は利用者がゼ

「雪かき道場」参加者との交流会で中越地震の体験を語る星野秀雄さん＝長岡市川口木沢の「やまぼうし」

ロ。いかに安定した運営ができるかが大きな課題だ。経営のノウハウがないため、失敗も多い。当初は部屋にお茶道具を置くような配慮もできなかった。

「それでも、木沢は変わったから」と星野さんは前を向く。「素人でうまくいかないこともあるけど、身の丈でできることをやっていきたい」

（2011年3月6日）

長岡市川口地域（**旧川口町**）

2004年10月23日の中越地震の震源地で、最大震度7を記録。家屋の倒壊などで6人が死亡、62人が負傷した。一般住宅は約8割の1097棟が全半壊、被害なしは6棟だけだった。長岡市と10年3月31日に、小千谷市を挟んで飛び地合併した。11年2月1日現在の人口は5039人。

絆生かして2　決意

人口減 歯止めへ連携
住民 地区の将来熱く議論

「復興デザインが絵に描いた餅ではしょうがない」「どうしたら住民に事業を知ってもらえるか」。熱い議論が毎回、深夜まで続く。

長岡市川口地域の田麦山公民館。月に1、2回「田麦山地区連絡会」の約20人が集まり、2004年の中越地震から立ち直った地区の将来像を描く復興デザインについて話し合う。

「みんな、世帯や人口の減少に強い危機感があり、本気でやる覚悟だ」。連絡会の内山敦夫会長(68)は力を込めた。

◇　　◇

5集落からなる田麦山地区は、川口地域の南半分を占める。旧田麦山村時代から

絆生かして

独立独歩の気風が残り、もともと祭りや行事が多い。震災後はボランティアらとの交流を背景に、さらに加速した。

雪まつりに始まり、春のロードレース、夏のブナ林コンサート、秋のマウンテンバイク大会と、大きな行事だけで年十数回。人口480人の地区に多くの地域づくり団体がひしめき、カレンダーはイベントで埋まる。

「だが、最近はこのままでいいのかという思いが出てきた」。団体の一つ「いきいき田麦山」の森山実会長(61)は指摘する。

ロードレースに元五輪選手が駆け付けるなどネームバリューは上がった。イベントには外部から数百人が集まる。しかし森山さんは「過疎化が止まらず、住民には『イベント疲れ』がある」という。震災で9割以上の家屋が全壊、167世帯が124世帯に減り、700人超の人口も200人以上が流出した。

「いつの間にか、イベント参加者もほぼ決まった顔触れになった。地区を元気づけるためのイベント自体が目的になってしまった」と森山さん。

こうした声を受けて、独立して活動してきた団体をつなぎ、地域全体の活性化を考えようと、昨年5月にできたのが連絡会だった。18団体と、全戸からなる地区協議会などの横断組織だ。

◇　◇

連絡会は早速、県中越大震災復興基金を活用した復興デザイン策定に着手した。被災地ではデザイン策定は終えている地区が多く、最も後発の部類だ。「ようやく機が熟した。住民自ら、ムラの将来を考え、連絡会やデザインの必要性を訴えたことが大きい」。地域復興支援員の星野晃男さん（58）は注目する。

既にイベント運営のノウハウがあり、団体も多い田麦山。1月のデザイン策定

田麦山地区連絡会の会合。豊かな自然など田麦山の魅力を生かした復興プランを作ろうと議論が進む＝長岡市川口田麦山

発表会で、アドバイスをした新潟工科大の田口太郎准教授は強調する。「後は来てくれる人をただのお客さんにせず、地域を支える仲間として巻き込む仕掛けを考えてほしい」。イベントを一過性に終わらせない受け皿づくりが求められている。

地域復興デザイン策定支援事業

県中越大震災復興基金を活用し、被災した集落のコミュニティー機能再生や地域の復興に関する計画策定の経費を1団体当たり700万円を上限に補助する。これまでに長岡市川口地域の田麦山集落を含め、69の集落や団体で導入されている。

（2011年3月7日）

「よそ者」が活気生む
支援員制度終了後に課題

2月下旬、長岡市川口地域中心部の住宅街。地域復興支援員の中林道泰さん（31）が住民の家を訪ねていた。「復興基金もいずれ終わるから合併した長岡市の助成金を活用できないか」「いずれは自分たちで活動費を稼ぐ仕組みが必要だ」。自宅の前で今後の活動計画を話し合った。

2004年の中越地震で被災した集落や住民団体を支える復興支援員。川口では、中林さんら男性3人と女性1人が活動する。「地域づくりには若者、よそ者、女性が欠かせない」。旧川口町役場を早期退職して支援員になった星野晃男さん（58）は、その要素を満たす支援員の重要性を強調する。

◇　　◇

中越地震のボランティア約9万5千人のうち、震源地で被害が大きかった川口には約1万人が入った。木沢、田麦山両集落のように、過疎高齢化に追い打ちを掛ける形で被災した地域は、「よそ者」に刺激を受けながら復旧、復興へ歩んできた。現在の支援員の活動はその延長線上にある。

「そりゃあ、支援員がいなかったら、間違いなくここまで復興は進んでいなかったな」と荒谷集落の宮日出男さん(70)。宮さんは「はぁーとふる荒谷塾」塾長として棚田の再生や都市部住民との交流を進める。

一緒に活動するのは、山形県出身の春日惇也さん(26)。07年に始まった支援員制度の第1号だ。長岡造形大在学中に被災し、ボランティアや復旧復興の研究の手伝いなどを経て支援員になった。「この方向に自然に流れてきた感じだ」

仕事は「何かを始めなきゃいけないと住民に気付いてもらい、地域全体の雰囲気を盛り上げること」という。そのために集落の家々に上がり込んで話し合い、時には説得することもあった。

昔ながらの盆踊りを復活させ、学生ら若者を呼び込んだ。「地域が活発になってきた。外部との連携も確実に生まれている」。自身の結婚式も荒谷で住民に囲まれて挙げた。地域との二人三脚に手応えを感じている。

◇　◇

ただ県中越大震災復興基金を使っている支援員制度の事業期間は２０１４年度まで。県独自での基金の延長が検討されてはいるものの、支援員がどうなるかは不透明だ。

長岡技術科学大の上村靖司准教授は「復興はある時点で終わり、というものではないが、支援員は雇用のためのものでないのでいずれ区切りが必要。地域も

住民と活動について意見を交わす地域復興支援員の中林道泰さん（右）。集落や地域の再生を支援してきた＝長岡市東川口

支援員も残りの期間でどう自立していくかを考えないといけない」と指摘する。
「支援員がいるうちに、おらたちでやっていける仕組みを作らねぇとなあ」と宮さん。春日さんは表情を引き締めた。「何とか自前で運営費を稼ぎながら地域活性化につなげる仕事をやりたい」

地域復興支援員

県中越大震災復興基金の事業として2007年にスタート。現在は長岡市や小千谷市など5市で計48人が活動する。長岡市などでは、財団法人山の暮らし再生機構が事務局を担当する。

（2011年3月8日）

集客力を取り戻せず
施設連携なく活用不十分

雄大な信濃川と魚野川の合流点を一望する高台にあるモダンなホテル。「2010年度の集客は、ホテルは5％ほど伸びるが、温泉は少し減りそう。1月が大雪でダメだったから」。静かなロビーで、小林利雄支配人は語った。

ホテルサンローラと、隣接するえちご川口温泉は、長岡市川口地域を代表する観光施設だ。市などが出資する第三セクターの運営で、09年度はホテルに約1万7千人、温泉に約16万人が訪れた。

ただ、04年の中越地震以前は両施設合わせて年間20万人を超えていた。「もっと利用者数が落ちた観光施設も多い。地域全体では集客力を取り戻せていない」。同市川口支所の長谷川久支所長は首を振った。

中越地震以降、外部との交流を進めてきた川口。「震災により深まった人と地域の絆で未来をつくる」—。同市は10年3月に川口町を合併する際、将来像をこう掲げた。

◇　◇

しかし、震災前の03年度に31万人を超えていた地域の入り込み客数は、09年度は約27万6千人と回復していない。田麦山など集客イベントが盛んな集落はあるものの局所的で、面的な広がりをいまひとつ欠く状態だ。

「温泉、ホテル以外にもいろいろな施設があるのに、十分に使い切れていない」。元川口町職員の北村清隆同支所地域振興課長は語る。特に課題は、ホテルや温泉を含めた運動公園。旧川口町が一帯にキャンプ場や古民家、野球場など17施設を整備したが、震災後は利用者数が低迷。09年度は古民家400人（震災前平均6700人）、体育館2500人（同1万7千人）と、大幅に減った施設もある。

「一つの施設を訪れた人に別の施設をPRするといった連携ができていなかった」と北村課長。元同町職員で地域復興支援員の星野晃男さんは「かつては行政依存だったが、施設が新しく、景気がいいのでお客が入った。今は、人を呼ぶ設備投資を行政が続けられる時代ではない」と話す。

◇　◇

そんな中、成功例とされるのが、運動公園近くの国道沿いにある道の駅「あぐりの里」だ。野菜直販施設を備え、年間16万人以上を集客し、売り上げは2億円を超える。

「生産者、地域の人と共に、地元の宝物を生かした消費者とのつながりを意識してきた」と運営するファーム越後川口の小宮山芳治社

高台に立つホテルサンローラとえちご川口温泉。周辺施設との連携による集客増が課題だ＝長岡市川口地域

長。「地域として、震災でできた人のつながりを生かす環境づくりが求められる」と指摘する。

星野さんは語る。「今まで生かし切れなかった運動公園などを行政依存ではなく住民主体の交流で活用したい。多くの施設を有機的に結びつけて、情報発信する『案内力』がある組織が必要だ」。こうした声を受け、前例のない市民組織づくりが動き出している。

（2011年3月9日）

地域つなぐ拠点整備
「新しい公共」づくり探る

雪原の中で、親子連れらが本格的な手打ちそばを味わった。長岡市川口地域で2月末に開かれた復興イベント「雪洞火ぼたる祭」。同地域の和南津（わなづ）、木沢、田麦山の3集落でそば打ちをしている地域おこし団体やメンバーが初めて共同でブースを出した。

「1団体だと100食が精いっぱいだが、300食以上売れた。みんなで協力したからこそだ」。「和南津そばの郷」の小林敏明さん（64）はそう強調した。

2004年の中越地震後、川口ではソバや山菜などを生かした多くの地域おこし団体が活動する。どこも参加者の先細りや高齢化の不安を抱える。「今後はみんなで連携し、補い合うことも必要だろう」と小林さん。各団体のメンバーは〝オール川口〟の活動が欠かせないと感じ始めている。

◇　　◇

そんな折に持ち上がったのが、中越地震の記録などを展示する災害メモリアル拠点の一つ「川口きずな館」の整備計画だ。閉鎖されたゴルフ場のレストハウスを改装し、地震から7年のことし10月23日の開館を目指す。

「単なる箱物にしたくない」「川口の人、物、団体をつなぐ施設にしたい」。計画が動き出した10年、若手有志による「川口をまじめに考える会」などから、きずな館を新しい地域連携のきっかけにとの声が上がった。

昨年秋には地域おこし団体の代表や住民、行政関係者ら約30人による委員会が発足、検討を重ねる。委員長の上村靖司・長岡技科大准教授は「例えばホテルや運動公園の施設の問い合わせ窓口を一元化し、各団体やイベントの情報も発信する。川口のネットワークを集約する実行部隊の拠点にしたい」と構想を描く。

◇　　◇

きずな館にNPO法人などを設立、市役所支所や第三セクターと協力しながら地域内の公的施設を有効活用することなどが議論されている。

委員で、まじめに考える会代表の小宮山芳治・道の駅「あぐりの里」社長は「外部の人とも協力し、垣根を外して考えていくべきだ。観光交流、福祉、教育など川口のためになることを事業化したい」と意欲を燃やす。

委員会は、運動公園の各施設の運営から農産物の加工・販売、循環バスの運行まで幅広い活動を想定。農業や体験交流を生かしたビジネスで、自立できる財政基盤も固めたい考えだ。

中越防災安全推進機構の稲垣文彦さん

川口地域でソバ作りに励むメンバーが初めて共同出店した「雪洞火ぼたる祭」。いつもより多くのそばを販売でき、来場者に喜ばれた＝長岡市川口中山

は「合併で役場が遠くなった分、住民が主体になって地域運営を担う」と注目する。「新しい公共」づくりの先進的な取り組みと言えそうだ。「成功すれば、持続的な発展のモデルとして他地域に波及する。全国にも発信できる」

災害メモリアル拠点

県中越大震災復興基金などを活用し、中越地震の経験を後世に伝える施設を長岡市と小千谷市の7カ所に整備する。地震から7年になることし10月23日オープンを目指す。総事業費は28億円。整備費や10年間の運営費など約19億円を同基金で賄う。

（2011年3月11日）

（この連載は長岡支社・小原広紀、小千谷支局・石田篤志が担当しました）

伝えたい

中越・中越沖から

マグニチュード（M）9・0、最大震度7の激しい揺れと津波により、死者・行方不明者計約二万三千人を出すなど戦後最悪の災害となった東日本大震災。2004年に中越地震、2007年に中越沖地震を経験した新潟・中越の地の私たちには「あのときの恩返しがしたい」との思いが強い。そのために私たちの被災体験が役立てば。避難所生活、健康管理、家屋の復旧、集落再生、集団移転、ボランティア…。これらの知見を伝えたい。中越地震に関わった各分野の識者や市民に教訓や助言などを聞いた（肩書、年齢は新聞掲載当時のまま）。

未曽有の被害が連日明らかになる東日本大震災。本県にも福島県など県外から多くの被災者が避難している。家族や友人を亡くし、家や職場を失って避難した人々の姿は中越地震（2004年）、中越沖地震（07年）の被災者の姿と重なる。二つの地震を経験した本県から今、被災者のためにどんな情報や教訓を発信できるのか。体験者に聞いた。

●行政機能　旧山古志村長、衆院議員・長島忠美さん（60）

いち早い回復が重要　全国から多くの力加えて

―地震発生10日目に福島、宮城県に入った時、避難所の状況はどうだったか。

「避難所には1週間で（被災者支援のための）人とモノがあふれるものだと思っ

ながしま・ただよし　旧山古志村議を経て2000年から村長２期。04年10月の中越地震で全村避難を決断。その後の村の復興を主導した。05年８月から衆院議員（自民党）。東洋大卒。60歳。

ていたが、そうはなっていない。あふれるくらいになってようやく被災者は落ち着くことができて、これからどうしようかと考え始める」

―特に何が問題か。

「ガソリン不足が要因といわれている。行政も機能を失っている。情報が被災者にきちんと伝わっていない問題もある。正確な情報を伝える方法を考えるべきだ。国から県、市町村にきちんと情報が伝わっているのかどうか、確認すべきだ」

―福島第１原発の事故もあり、故郷を離れて避難している人も多い。

「遠距離にいる被災者と被災地の古里とをどう結ぶかが大きな課題だ。市町村は被災者のいる場所に職員を派遣し、『昨日はこういうことがあった、明日はこういう予定がある』という情報や、古里への思いを絶えず伝えていくことが大切。ただ、被災市町村の職員も大変。職員がつぶれたら住民を守れない」

—中越地震で長岡市に全村避難した旧山古志村は行政機能も移した。

「山古志の役場はたくさんの人から手伝ってもらい、機能を維持できた。今回も全国から行政ボランティアを送ってもらいたい。総務省が全国の行政職員の派遣を打ち出したが、いち早く行政機能を回復させることが重要だ。そこに民の力、ボランティアの力を加えることで人とモノを豊富にすることができる」

—新潟県内に避難した子どもたちの就学問題もある。

「山古志の子どもたちは長岡の学校にそっくり間借りできた。しかし今回はバラバラに避難している。受け入れる学校側はクラス分けなどで配慮してほしい。できれば、元の学校の先生も子どもたちのそばにいてほしいが…。子どもの環境が変わる中、人のつながりを絶やさないことが大切。お年寄りのケアも同じ。山古志では介護が必要な人をちゃんと分かっている保健師が避難所を回ることができた」

—避難生活は長引くとみられる。何が大切か。

「私も仮設住宅に3年2カ月いた。将来を見極めることのできない被災者は落ち込んだり話ができなくなったりする。行政はそうした被災者の思いを感じ取り、手を差し伸べなければならない。絆や希望を失ったら地域の再生はできない」

（2011年3月25日）

行政機能

中越地震は土曜夕方に発生し道路が各地で寸断されたため、職員が各庁舎に集まることが難しく、行政機能がまひした自治体があった。旧山古志村では電話や防災行政無線が通じず、被害の把握と情報の発信に課題を残した。旧川口町は庁舎が危険なため中に入れず、防災無線も使えず孤立集落の情報収集などが遅れた。

●避難所運営　ボランティア・高砂春美さん（65）

被災者に自治任せよ　地元のネットワーク活用

―県外から多数の避難者を受け入れる初のケースで長期化も予想される。中継拠点の柏崎市から25日夜に、岩手に向け出発されるが、避難所運営で注意することは。

「行政は避難者をお客さま扱いしない方がいい。避難所生活は『施し』ではない。行政は場所を提供し、後はボランティア組織に任せる。避難者は自ら買い物をし、食事を作る。施設の掃除をする。ただし、自立できる避難所は50、60人規模が限度。100人ほどの避難所なら、体育館のような1カ所に集約し、自治を避難者やボランティアに任せるのがいい」

―行政の役割は？

「コーディネーターだ。避難者に何が必要なのかを把握し、ボランティアに要請する。行政の要請がなければ、制約があって動けない支援もある。ボランティアに

たかさご・はるみ　兵庫県災害救援専門ボランティア。福岡県立飯塚商高卒。中越沖地震時に柏崎市の避難所でボランティアコーディネーターを務めた。東日本大震災では同市を中継拠点に、現地支援の準備中。65歳。

は専門性を持つグループがあり、連携すれば行政にできない支援ができる」

—現場で「行政の壁」を感じることは。

「例えば、行政は支援の『平等性』を気にする。物資の数が足りず、全員に行き渡らないと、避難所に運ぶことに難色を示す。それは被災者目線ではない。必要とされた時に支援しなければ意味がない」

—アパート、民宿、知人宅など避難所以外で生活する避難者が多い。

「要支援者や障害のある人、その家族は避難所に入りたがらない。一軒家やアパートを借りる傾向にある。そういう人には支援がなく、行政もつかみ切れていない。知人宅への避難が長期化すれば、相手の家族がストレスを感じる場合もある。

福祉関係のボランティアでどこまでできるのか課題だ」

—避難所で生活する人へのアドバイスは。

「阪神大震災では、ぼくも被災したが、神戸市の避難所となった小学校で7カ月間、ボランティアを運営した。途中からは授業が再開し、子どもが通ってきた。きちんとした生活をするよう注意した。避難所の外には、不便な家で生活している人がいた。避難者には、常に人から見られていると思ってほしい」

—被災地の混乱が続き、ボランティ

中越・中越沖地震の避難者数とボランティア数

中越地震では最大で10万3178人が、603カ所の避難所に避難。中越沖地震では、最大1万2483人が101カ所に避難した。中越地震の被災地には延べ9万5026人のボランティアが入り、約9割が発生から半年に集中。中越沖地震では延べ2万9943人が参加した。避難所では救援物資の運搬や足湯のサービスなどを行った。

アが本格的に入るには時間がかかるとみられる。

「被災地向けの支援も必要だが、まずは地元の避難者を支援すべきだ。その際は地元のネットワークを活用する。個々に動くと、無駄が生じる」

（2011年3月25日）

●体調管理　新大大学院教授・相沢義房さん（65）

ストレスで心筋症も　ほっとできる環境が必要

―中越地震の避難所で被災者を検診した経験から、懸念されることは。

「避難中に気を付けてほしいことは二つ。一つ目は（1）心筋梗塞（2）脳卒中（3）タコつぼ心筋症（4）エコノミークラス症候群（血栓塞栓症）―など、命にかかわる病気。二つ目は持病がある人がその病気をさらに悪くしないこと。これは避難中も薬を切らさずに飲み、治療を続けるしかない。新潟では医療機関にかかればいいが、被災地では薬がなかなか手に入らないことが心配」

―避難中には心身に大きなストレスを抱える人が多い。

「見知らぬ土地に避難することも精神的ストレスになる。長引けばなおさら。そのストレスは血圧を上げる。中越地震の避難所で検診した150人のうち、6割が高血圧だった。高血圧になれば、心筋梗塞や脳卒中のリスクが高まるのは当然。寒さでも血圧は上がるので、寒暖差に注意して十分暖かくしてほしい」

—新潟大などの調査によると、中越地震ではタコつぼ心筋症が急増したという結果が出た。

「タコつぼ心筋症はストレスが心臓の働きを悪くする症状。ショック死するケースもある。今回も被災地では必ず起きると予想できるから、私も心電図を持って被災地に行こうと思っている。症状を見つけられれば、助けられる」

—それぞれの病気は自分で気付けるか。

「心筋梗塞は胸が痛くなる。脳卒中は体の半分が動かなくなったり、ろれつが回らなくなったりする。どちらも自覚症状がある。しかしタコつぼ心筋症は心筋梗塞の十分の一くらい

あいざわ・よしふさ　新潟大医学部第１内科助教授、同教授を経て2001年から新潟大大学院医歯学総合研究科教授。専門は循環器内科。日本不整脈学会会頭。新潟大卒。65歳。

の症状しか出ない。息が少し苦しくなり、せきはしても熱は出ない。血圧が下がり、元気も出ないので、周囲の人がいつもと様子が違うと気付いてほしい」

――どうすれば、それらの病気を防げるか。

「エコノミークラス症候群にならないためには水分を十分に取り、寝るときはしっかり足を伸ばすことが大切。血圧を上げないためには、ほっと安心できる環境が必要。中越地震の避難所で血圧が高かった人たちは自宅に戻ると血圧が下がった。避難生活は長く、帰るところがない人も多いだろうが、新潟に避難した

中越地震の関連死

医療機関などの報告を基に、地震が原因で死亡したと市町村が認定した数は52人。地震当日にショック死などで6人、その後も3カ月間に避難所や車中などで心不全、心筋梗塞、脳内出血、脳梗塞、肺炎、エコノミークラス症候群などを発症する人が続出した。65歳以上が40人で8割弱を占める。住宅の下敷きなど直接死は16人で、中越地震の犠牲者数は計68人。

人たちにはとにかくほっとしてほしい。絶望せず、必ず何とかなると思ってほしい」

（2011年3月25日）

伝えたい　災害福祉広域ネットワーク「サンダーバード」・小山剛代表理事に聞く

介護支援　地域の絆が鍵
仮設入居　集落ごとに

中越地震被災地の長岡市で、全国初の仮設住宅内での介護サービス拠点開設に尽力した小山剛さんに、東日本大震災の介護支援について聞いた。

—すでに4回被災地入りしたそうだが。

「岩手県の介護施設では利用者と施設員が一緒に津波に流された。現場は施設利用者の介護で手いっぱい。海沿いの集落が寸断され、孤立集落での在宅介護が心配だ」

—中越の教訓から災害時の介護支援のため、NPO法人「災害福祉広域支援ネットワーク・サンダーバード」を設立した。どのような支援を考えているのか?

「現地を知らない介護士が直接被災地に入ってもうまくいかない。地元スタッフが在宅の人や被害が大きい施設を回れるように、サンダーバードから拠点となる介護施設に介護士を派遣する。今そのシステムをつくっている」

―介護の必要な人が全国に避難している。

「できるだけ別々に避難せず、顔見知りの介護士と共に施設ごと避難してほしい。われわれも施設単位での受け入れを申し出ている。東北地方は中越と同じでコミュニティーが強い。中越地震の介護支援では、その絆を維持したことでうまくいった」

―中越では仮設住宅脇に介護の拠点を作った。

「東日本大震災でも各地で仮設住宅ができ、中越のような介護の拠点も造られるだろう。可能な限り集落ごとに仮設へ入ってほしい。今後、壊れた介護施設を内陸部に再建すると思うが、まずは仮設の介護施設で

こやま・つよし　長岡市生まれ。高齢者総合ケアセンターこぶし園総合施設長。新潟医療福祉大客員教授。

いい。被災者が地元に戻れる時期が来たら、戻る選択肢を残してほしい」

——今後の介護支援に何が必要か。

「県内に介護が必要な人と一緒に、働く場を失った人が避難してきている。避難は長期化するはずで、仮設住宅の建設現場も広域になるはずだ。働ける被災者が介護の必要な家族と共に避難し、資格が無くても介護の現場で働ける柔軟な仕組みが求められる」

（2011年3月26日）

中越地震時の介護支援

長岡市千歳の仮設住宅脇に、「サポートセンター千歳」を開設。介護予防にも力を入れ、臨床心理士らが心のケアも行った。全国での災害時に同様の介護支援を行うため2006年、NPO法人「災害福祉広域支援ネットワーク・サンダーバード」を結成した。

伝えたい　避難者の健康支援どうする

日常に近い環境整備を高齢者への目配り重要

●新潟医療福祉大・宇田優子准教授

県による災害時の保健師活動ガイドライン作成に携わり、東日本大震災の避難者向けにも健康相談を行っている新潟医療福祉大の宇田優子准教授に、健康面の支援に必要なことを聞いた。

―現在の活動内容は。

「自分がいる聖籠町の避難所には町の保健師と介護支援員のほか、看護師や保健師の資格を持つ新潟青陵大と新潟医療福祉大の教員らが詰めている。健康状態を確認し、血圧測定などを行う。24時間態勢で避難者の体調変化に対応している。具合が悪い人には医療機関受診を勧め、避難所内の感染症防止にも努めている」

―避難者の状態は。

「中越地震と同じように高齢者が多く、20日に避難してから3日間くらいは夜寝付けず、落ち着かない人が目立った。5日目ごろからは風邪や下痢の症状を訴える人が出てきているものの、比較的落ち着いてきた。中越地震と比べ、体調の悪さを相談せず我慢している人が多いのは気になる」

―作成に携わった災害時保健師活動ガイドラインは活用されているか。

「ガイドラインには避難時間の経過とともに被災者の体調、心がどう変化していくか記してある。それに沿って対応していけば適切なケアができると思う」

―今後の避難者にどのような変化が起きると予想されるか。

うだ・ゆうこ　59年、新潟市北区生まれ。放送大学大学院卒。県保健所で保健師として勤務し、10年から現職。主に災害看護や公衆衛生看護分野を研究している。

「長期化すれば高血圧や糖尿病など持病の悪化、うつ症状や座りっぱなしによる足腰の不調などが懸念される。特に高齢者は環境に適応できず、軽い認知症の症状が出てくる可能性もある。津波に巻き込まれるなど、衝撃的な経験をした人は心的外傷後ストレス障害（ＰＴＳＤ）も現れてくる恐れがある」
「体調を維持するため、３食きちんと食事を取って風呂に入るなど、できるだけ地震前の日常生活に近い環境を整えてあげることが重要だ。山古志でもそうだったが、これから、どこで、どのように生活するか不安になると眠れなくなり食欲もなくなって体調を崩す。政府が早急に復興の見通しを示し、避難者に生活への希望を持たせることが必要になってくる」

（２０１１年３月27日）

災害時保健師活動ガイドライン

大地震などが発生した際、被災者の受け入れ態勢や健康相談の方法などをまとめた行動指針で、県が２００５年に作成した。宇田准教授は中越地震発生後に保健師として旧山古志村で活動した経験を踏まえ、作成に携わった。

●多世代交流館「になニーナ」・小池裕子副代表理事

授乳時の個室確保を子ども預かりで負担軽減

中越・中越沖地震の避難所で、育児中の母親を支援した小池裕子さんに、東日本大震災の育児支援について聞いた。

—避難所生活で、育児中の母親に何が必要か。

「南相馬市から長岡に避難した母親を支援している。福島では避難所の体育館で眠られず、『長岡の施設は個室なのでうれしい』と話していた。今は難しいかもしれないが、被災地の避難所でも育児中の女性がホッとできる場、授乳できる場があると安心する。私も中越地震の時に、実家の糸魚川に一時戻った。頼れる人がいれば被災地外へ避難することも有効だ」

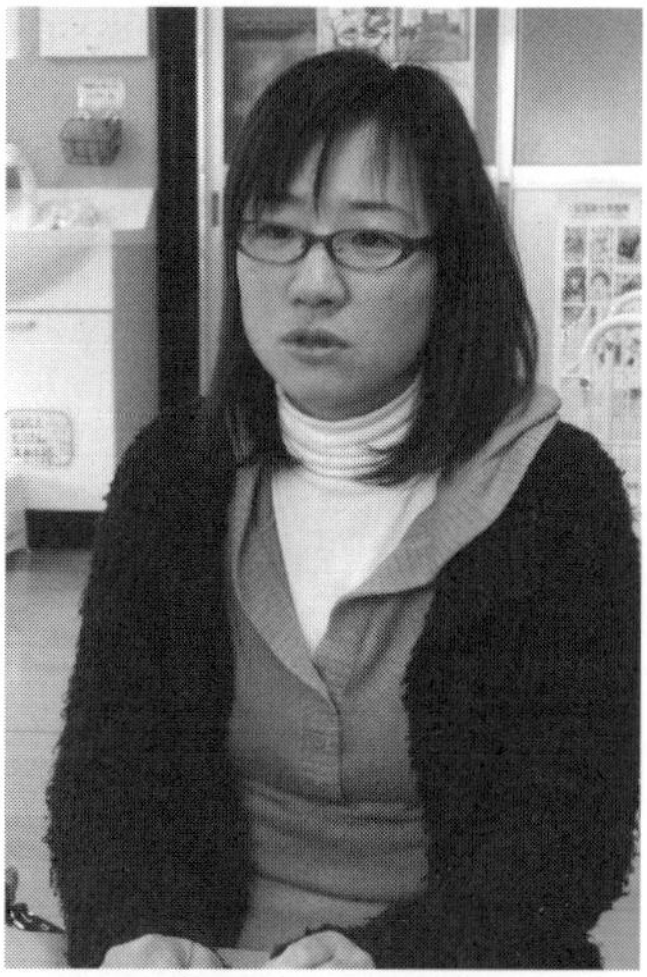

こいけ・ゆうこ　糸魚川市生まれ。結婚を機に長岡市に移り住み、子育てグループ「三尺玉ネット」に参加。2007年から長岡市の仮設住宅跡地で、多世代交流館「になニ～ナ」を開いた。36歳。

―中越・中越沖の支援を通じた教訓は？

「中越では、余震の恐怖で足を床に着けない子どももいて、お母さんはトイレにも行けなかった。子どもを1人にさせない取り組みと共に、母親を1人にさせてあげることも大切。中越沖では避難所で遊びのボランティアを行い、子どもを預かった。できる避難所から、このような取り組みが広がってほしい」

―県民ができる支援はないか。

「中越地震を体験したお母さんへのアンケートでは、地震直後に必要なのは『携帯電話などからの情報』が多かったが、数日たつと『家族の頼もしさ』など精神的なものが必要になることが分かった。新潟に避難している人の横にいて、話を聞いてあげるだけでも支援になる。中越地震では、おしり拭きが子どもの体や食器を拭くのに役立った。授乳服やベビースリングも重宝するので、避難物資として喜ばれると思う」

——子どもへの支援は。

「背中に手を当てて、上から下になでおろしてあげると、安心するホルモンがでる。中越地震の教訓をまとめた『あんしんの種』という冊子の一部が携帯電話(http://ameblo.jp/ninani-na)で見られるので、参考にしてほしい」

中越地震の育児

中越地震では、子どもが夜泣きをするため避難所に入らず、車中泊をする人も多かった。になニ～ナのアンケート(回答247件)によると、子どもに関するもので不足したのは、1番がオムツ、2番がお湯、3番が遊び場だった。

(2011年3月28日)

伝えたい　行政の役割

●中越防災フロンティア・青木勝副理事長

復興計画の提案必要
避難場所は市町村単位に

中越地震発生時の旧山古志村企画課長で、全村避難した住民の支援に当たった青木勝・中越防災フロンティア副理事長に、東日本大震災のあるべき行政の役割について聞いた。

—東日本大震災の被災地に入り、各市の対策本部を回ったそうだが。

「避難住民に対する支援は市町村が行うのが基本だが、職員が半月たっても避難所の運営にかかり切りになっている。これからは避難所を組織的なボランティアに任せ、基礎的自治体は仮設住宅数の把握や将来の生活の見通しと目標を住民に示す仕事をするべきだ。職員の体力も限界で、被災地外からのさらなる支援が急がれる」

あおき・まさる　旧山古志村生まれ。同村役場に入り、市町村合併後は長岡市復興推進室次長や山古志支所長などを経て現職。61歳。

―旧山古志村は地震から5カ月後に復興計画をまとめた。

「村民に『3年間で復旧する。だからそれまで頑張ってください』という旗を掲げた。山古志では9割の人がふるさとに戻りたいと訴えた。東北の住民も同じ気持ちだろう。国、県、市町村が被災者に向け、目標となる旗を見せてほしい。いつまで我慢すればいいか分からないと、被災者は長期避難に耐えられない」

―県内に多くの避難者が来ています。

「避難してきた人は、ふるさとの情報を求めている。避難者を被災自治体が職員として雇い、避難所の連絡係にするべきだ。また、南相馬市は長岡市が担当するなど、避難場所を市町村単位、できれば集落ごとにまとめる努力も進めてほしい」

――山古志は地震から約3年で仮設住宅の暮らしを終えた。

「私たちは、国の支援によって短い期間で復興への歩みを始められた。旧村民は多くの支援を忘れず、今でも『日本人で良かった』と言っている。日本は強い国だ。被災者を一人も見捨てないというメッセージをもっと国は発信してほしい。そして被災者は希望を捨てないでほしい」

（2011年3月29日）

旧山古志村の復旧・復興

中越地震の2日後に全村避難を決断。長岡市の仮設住宅には最大時で約1700人が入居し、仮設生活は最長3年に及んだ。発生5カ月後には「2006年9月に全村民が帰村する」ことなどを柱とする復興計画をまとめた。地震前の約7割の住民が、ふるさとに戻り復興を目指している。

●小千谷の遺族・星野武男さん

一人で悩まず話して
親身に寄り添う仲間必要

小千谷市塩谷集落で中越地震に遭った星野武男さん（53）。地震で次女和美さん＝当時（11）＝を失った星野さんに、東日本大震災の被災者への思いを聞いた。

―東日本大震災で多くの方が犠牲になっています。

「新聞やテレビで被災状況を知ると胸が痛み、中越地震のことを思い出します。自分が被災したとき、多くの人に『頑張って』と言われました。これ以上何を頑張ればいいのかと当時は思いましたが、東日本大震災の被災者には『頑張って』としか言えません」

―中越地震で娘さんを失いました。

ほしの・たけお　小千谷市塩谷生まれ。会社員。2006年、平場の同市千谷に集団移転。塩谷には毎日、錦鯉の世話に通う。53歳。

「地震で家がつぶれる瞬間、私は家の外へ飛び出てしまった。和美のいる脱衣所へ一歩が出なかった。目の前にいながら助けられなかったんです。塩谷集落では和美のほか、2人の小学生が亡くなりました。3家族が一緒に泣き、悩み、同じ思いを持ちながら支え合ってきたので、ここまで来ることができました」

―中越地震から6年半がたちました。

「和美のことは今でも毎日のように思い出しますが、その時間は時とともに短くなっています。でも、和美の同級生が高校を卒業したり、車の免許を取ったりする姿を見ると、和美が生きていたらどうだっただろうと考えてしまうんです」

―多くの遺族の方へ助言はありますか。

「何でも一人でためないこと。泣きたいときは泣いてほしい。自分も塩谷の仲間がいて、そして寄り添ってくれたボランティアがいて、自分の思いを打ち明けられた。娘を亡くしたとき、そっとしておいてほしい気持ちと悩みを聞いてほしい気持ちが半々だった。本音を話せる仲間のそばにいてほしい。東日本大震災の被災者、遺族の方には、『皆さんは一人ではない』と伝えたいです」

塩谷集落

小千谷市東部にあり、旧山古志村に隣接。49世帯あった集落は集団移転などにより現在21世帯に減少した。地震で犠牲になった小学生3人の慰霊碑を、町内会が中心となり建立した。

（2011年3月30日）

伝えたい　長引く避難所生活

●救急救命士・渡辺裕伸さん

苦しい思い　共有大切
怒りためず周囲と会話を

　中越地震で被害が大きかった長岡市川口田麦山。救急救命士の渡辺裕伸さん（46）は被災直後、仕事のため家族と離れた。避難所、仮設住宅でも暮らした体験から聞いた。

　―中越地震発生時の状況は。

「自宅で地震に遭い、集落の仲間の安否を確認後、消防の仕事で田麦山を10日間離れた。一番大事な時期に集落にいられず、後ろめたさを感じた。今回の震災でも家族と離れ、安否さえ確認できない中で復旧作業をしている人たちがいる。彼らを支えるケアも必要だ」

わたなべ・ひろのぶ　旧川口町田麦山生まれ。小千谷地域消防本部救急救命士。地元の復興を目指す団体「いきいき田麦山」交流部長。地震後、農業法人「ファーム田麦山」を設立した。46歳。

―避難所生活は。

「1カ月半を避難所の田麦山小学校で過ごした。1カ月になるころ、住民のわがままが出始めた。今回の震災でも怒りが出るころだが、怒りはためずに出すべきだ。私たちの場合、それを受け止めてくれたのがボランティアの人たちだった」

「南相馬市から避難したお年寄りが川口の温泉に来て、私の母が話を聞いたそうだ。母が自分の被災体験を語ると、皆さんの心が和んだようだったという。県内で私たちもできる支援だと思う」

―避難所生活が長引きそうです。

「私たちは避難所から自宅の状況を見に行くことができたが、県外から避難している人たちは、ふるさとが今どうなっているのか分からない。難しいかもしれないが、行政には地元に1時間だけでも戻れる見通しを示してあげてほしい」

「避難所で私たちはトイレ掃除や配膳などを分担した。長期間の避難所生活では『自分だけが苦しいのではない。全員が被災者なんだ』という意識を共有することが大切だ」

—仮設住宅が建設され始めました。

「2年間仮設住宅で生活したが、プライバシーがなかった避難所に比べ天国のようだった。必ず仮設に入れる時期が来るので、それまで辛抱してほしい。避難所では

中越地震の避難所生活

県によると旧23市町村で延べ2万4577世帯、8万869人に避難指示・勧告が発令され、最大で10万3178人が603カ所の避難所に避難した。避難者がゼロになったのは地震から約2カ月後の2004年12月21日。仮設住宅は旧13市町村に3460戸建設され、9484人が入居した。

不安な思いが強かった。でもいつか前向きになれる時が来る。ふるさとへの思いを持ち続けてほしい」

（2011年3月31日）

伝えたい　在留外国人への支援

●長岡市国際交流センター長・羽賀友信さん

情報提供窓口設置を市民の口コミ周知に有効

東日本大震災では発生直後、被災地から出国を目指す中国人約6千人が新潟市に詰め掛けた。被災した各地には避難所で生活する外国人もいる。中越地震で「災害多言語支援センター」を設置し外国人を支援した羽賀友信・長岡市国際交流センター長（60）に聞いた。

―地震では外国人にどんな問題が生じますか。

「情報が届くかが問題だ。日本語ができる人は限られる。地震を知らない人もいる。中越地震ではクーデターだと思った人もいたし、宗教的な終末観でとらえた人もいた。避難所に外国人は入れないと思っていたり、避難所を知らずにずっと車の

はが・とものぶ　難民支援の国際協力機構（JICA）専門家などを経て、2002年から長岡市国際交流センター長。被災地の外国人支援のため、ボランティアの全国的な態勢づくりに携わる。日本獣医畜産大卒。60歳。

中にいたりしていた」

―どのような支援が必要ですか。

「相談できる窓口があることが大切だ。中越地震では、長岡市役所に5カ国語に対応できる多言語支援センターを置いた。『地震とは大地が揺れるのだ』ということ、電気やガスの復旧見通しなどの情報を提供して安心してもらった」

―今回は地震後、帰国する人が目立ちました。

「大使館から出国を勧められたという人が一番多い。原発が原因だ。日本政府は海外から情報を隠したと思われ、信用されていない。世界はもっと深刻に事態を見ている。そうした中で残った人たちをどうするか真剣に考えないといけない」

——このほど岩手県を訪れましたが、現状は。

「行政職員が亡くなり、現地と連絡すら取れない。外国人に限らず、どこに誰がいるのか把握できていない。行政が機能しなくては、多言語支援センターもできない。まずは行政のバックアップを考えるべきだ」

——被災地で市民が外国人にできることは。

「ボランティアセンターや多言語支援センターが設置されたら、『そこに行けば支援が届くよ』と伝えるのが大切。それを伝えるには口コミしかない。緊急時になぜ外国人、と思うかもしれないが、ニュージー

災害多言語支援センター

災害時の外国人支援のために自治体が設置する情報発信拠点。2004年の中越地震で長岡市が全国で初めて開設した。ボランティアらが行政機関の災害情報を翻訳し、チラシやラジオなどを通して外国人に届けるほか、避難所を巡回し相談に応じる。東日本大震災の被災地で現在設置されているのは、仙台市と水戸市の2カ所。

ランド地震を思い出してほしい。外国人だからと日本人が排除されたら、どういう感情を持っただろうか」

（2011年4月1日）

伝えたい　避難者の心のケア

●県立精神医療センター院長・和知学さん

共感を示してあげて
要望　丁寧に聞き取る必要

中越地震で被災者を診察し、東日本大震災では県外から県内に避難してきた人たちを診ている医師で県立精神医療センターの和知学院長に避難者の心のケアについて聞いた。

―県内の避難所を巡回した印象は。

「テレビで繰り返される原発事故のニュースを食い入るように見つめている人が目立ったのが気になった。避難指示地域に自宅がある人は、先の見えない事態にストレスが強まっているようだ。小さな子どもには、悪夢や夜泣き、多動などの原因になりかねない」

わち・まなぶ　東京都出身。新潟大医学部卒。県立精神医療センター副院長を経て2006年４月から同院長。日本精神神経学会評議員。専門は臨床精神医学と臨床てんかん学。61歳。

「被災から1カ月以内の今は、誰かが支えてくれるという信頼感を持ってもらうことでストレス軽減につなげられる」

―中越地震でも心のケアを必要とした人が目立った。

「避難所生活が続き、不眠になった人が多かった。睡眠薬でぐっすり寝るのが効果的なのだが、余震の時に寝入ってしまうのを恐れて処方を嫌がる人もいた」

「先が見通せない中でアルコールで不眠や不安を解消しようとした人もいたが、地震から半年以上たっても依存から抜け出せない例もあった」

―東日本大震災の特徴から心配される点は。

「地震だけでなく、津波、原発事故と大災害が重なり、被災者には希望が見えにくい。特に収まる気配のない原発事故によって災害体験が継続している」

—今後のケアの在り方は。

「医師や保健師らが被災者に寄り添い、何が求められているか丁寧に聞き取っていく必要がある。早く対処するほど心的外傷後ストレス障害（ＰＴＳＤ）になりにくく、仮になっても、他の症状の発症を防げる」

「被災の程度や復興の差により心的被害が長引く人が出てくるだろうが、なかなか改善しないのが意外であるかのような言動は避け、共感を示してあげてほしい」

（２０１１年４月４日）

中越地震の心のケア

２００４年10月26日から約３カ月間、県立精神医療センターなどのチームが小千谷市で診療活動と避難所の巡回に当たり、延べ１３１４人を診察。地震後２週間程度に精神面の相談が集中し、不眠や不安を訴える人がそれぞれ２００人前後に上った。地震後、被災者が新たに発症したものでは、適応障害やうつ、不安障害が目立った。

●長岡技術科学大准教授・上村靖司さん

日常取り戻す試みを
復興ビジョン着手　早急に

東日本大震災でいまだ約16万人が避難生活を続け、本県も多くの避難者を受け入れている。東京電力福島第1原発の事故もあって避難生活の長期化が懸念される中、被災者の生活再建や地域の復興を後押しするためには今、何が必要か。中越地震の復興過程を研究してきた上村靖司・長岡技術科学大准教授に聞いた。

―長岡市の避難所を訪ねて気になる点は何か。

「未来の展望がなく、避難所で三度の食事をもらっているだけでは、人は弱ってしまう。炊き出しなどの支援とは別に、少しでも日常を取り戻せる試みが必要だ」

―どのような取り組みが考えられるか。

かみむら・せいじ　旧川口町（現長岡市）生まれ。長岡技術科学大大学院修了。同大講師などを経て2007年から同大機械系・安全安心社会研究センター准教授。専門は雪氷工学。日本災害復興学会理事。45歳。

「長岡に避難した南相馬市の理容業者が『腕を振るう場がほしい』と言っていた。新潟・長野県境の地震被災地で理容ボランティアを求めていると持ち掛けたら乗り気になった。生業を生かし、力を発揮できる場をつくることが大切。『あなたは必要だ』と示さないと。怖いのは希望を失い『自分が生きていていいのか』と不安になること」

—被災者への義援金の配分も議論されている。

「見切りでいいから早く配分してほしい。自分の金で買い物できるようになれば、張り合いやストレス発散にもなる」

—岩手県では仮設住宅が着工した。中越地震では被災約2カ月後に仮設への転居が終わった。

「仮設住宅は土地の確保も大変だが、絶対にまとまって住めるよう万難を排してほしい。旧山古志村民が旧長岡市に固まって住んだように。みんなで集まり、地域の将来を話し合える場をつくらないといけない」

──地域の将来像はいつ、どう描いたらいいか。

「今は行方不明者も多く、とてもそんな気分じゃないだろう。でも（自治体などは）復興ビジョンに早く着手すべきだ。中越は復興

中越地震の復興ビジョン

2005年3月1日、学識者や被災市町村長らによる懇話会が策定した。同会は地震から約2カ月後の04年12月末に発足。10年後となる14年の被災地の姿として、復旧復興に失敗して活力を失った例と、見事に活性化した理想像を示し、10年間での復興を目指した。それに基づき県は震災3年までの1次、4～6年の2次、7年目以降の3次の復興計画を作成。3次計画は地域の自立と復興の取り組みの発信をメーンに、2月に素案をまとめた。

ビジョンで中山間地の10年後の望ましいモデルと、『こうはなりたくない』という姿を示した。モデルに向かい、県が1～3次の復興計画を立てている。住民や団体が共有できるビジョンを早くまとめ、細かい計画はゆっくり詰めればいい」

（2011年4月5日）

●NPO法人事務局長・李仁鉄さん
細やかな情報伝達を
自立促す取り組みも必要

東日本大震災で被害が大きな地域ではボランティアの受け入れ態勢が整わず、本格的な活動に至っていない。中越地震などで活動し、現在は福島県で支援活動を展開するNPO法人「にいがた災害ボランティアネットワーク」の李仁鉄事務局長に、今後のボランティア活動について聞いた。

―福島でボランティアの受け入れ態勢について助言しているそうだが。

「津波の被害を受けた相馬市や南相馬市など沿岸部は、まだ県外からの受け入れが進んでいない。今後、家の後片付けなどのニーズが高まる時期が来るが、原発事故の影響で必要なボランティアを確保できない事態もあり得る。また、原発で変化

り・じんてつ 山形市生まれ。新潟大法学部卒。三条市の病院に就職し、7・13水害で被災。中越地震でのボランティア活動を経て、「にいがた災害ボランティアネットワーク」(三条市)の設立に関わる。36歳。

があったとき、活動中のボランティアに正確な情報を伝える仕組みも必要になる」

—避難所生活は長期化しそうだ。

「福島は市町村合併が進み被災自治体の面積が広い。被災者の支援態勢は旧市町村単位、さらに小規模にエリアを分けて支えるべきだ。本県では、中越、中越沖地震を経てボランティアをコーディネートできる人材が育った。そういう人たちが現地に長期間滞在し、支援する態勢も望まれる」

—中越、中越沖地震の教訓をどう生かすか。

「中越では必要な被災者のニーズがボランティアに伝わらず、作業のミスマッチが起こった。現在、福島では現地のニーズを把握し、ネットなどで情報を毎日更新する態勢をつくっている。また、東北地方は新潟のように我慢する文化があるようだ。中越のときのように、被災者に寄り添った経験を生かせるはずだ」

—県内にも多くの被災者が避難している。

「おもてなしと自立を促す支援の両面が必要。震災直後は濃厚な手助けが必要だが、長期におもてなしをしすぎると、それが当たり前になってしまう。今後は避難者の自立を促すボランティア活動が求められる」

福島県内のボランティア活動

福島県災害ボランティアセンターによると7日現在、相馬、南相馬市を含む28市町村がボランティアセンターを設置。その多くが「通える範囲の方」「市内在住の方」など、受け入れ条件がある。

（2011年4月8日）

伝えたい　集団移転

●小千谷・十二平集落元住民・鈴木重男さん

「仲間と一緒」心強く できることから生活再建

東日本大震災では多くの地域が壊滅的な被害を受けており、復興過程では地域ごとの集団移転も予想される。２００４年の中越地震で被災した小千谷市の十二平集落は、全11戸が集団移転した。同集落の元住民の一人、鈴木重男さんに生活再建に向けた心構えなどを聞いた。

―東日本大震災で多くの集落が壊滅的な被害を受けています。

「避難所や仮設住宅での生活は、何をするにも個人ではうまくいかないことが多いと思う。われわれが暮らしていた十二平は昔からまとまりのある集落で、リーダー役を中心に役所の情報などを共有して集団移転を選択した。みんなで連携して、まとまって動くことが大事だと思う」

――地震発生から1カ月が過ぎました。いまだに先行きが見えない中で、心掛けたいことは。

「私も家が壊れ、育てていた錦鯉もほとんど死んで、養鯉業はもうだめだとも思ったが、同時に開き直った。深く考えすぎないこと。そのうちに県外の取引先から『生き残った錦鯉を買いたい』というありがたい話が来るようになり、できることから再建していこうと力が出てきた」

すずき・しげお　小千谷市十二平生まれ。2006年に市内の平場にある三仏生に集団移転した。養鯉業。66歳。

――十二平は集団移転を決めたが、故郷を離れる不安はなかったか。

「50年以上住んでいた場所を離れることは悩んだが、何が一番いいのかを考えて決断した。集落の仲間と一緒に移ることができたのも大きい。すぐに顔を合わせて相談することもできる。（移転先の）三仏生（さんぶしょう）の人たちが、温かく受け入れてくれたのもありがたかった」

―故郷とのつながりはどうなっているか。

「鯉を飼う池がある十二平までは車で約30分。不便は感じていない。今でも毎日のように通っている。移転先は、すぐに故郷に戻れることができる場所にすることも大事になるだろう」

―生活の再建は時間がかかると思うが。

「集落が三仏生に移るまでに約2年かかった。とにかく焦らないこと。それと健康が第一。体調管理には十分に気を付けてほしい。復興は一日一日、少しずつ進んでいくと思う。被災者の皆さんにはあらためて、みんなで助け合うことが大事だと伝えたい」

（2011年4月13日）

十二平集落

小千谷市東部の中山間地に位置し、2004年の中越地震で全11戸が全壊。同市三仏生などに集団移転した。元住民が集落跡地に記念碑を建立し、記録誌を発行するなど、村の歴史を後世に伝える活動を進めている。

●減災・復興支援機構理事長・木村拓郎さん

複数案での議論必要
復興計画策定 国が主導を

東日本大震災は巨大津波と原発事故が同時に起きた複合災害で、被災エリアは広大だ。多くの被災地域ではコミュニティーはバラバラになり、復興への道筋はいまだ見えない。宮城県石巻市出身で、長岡市山古志地域の復興に携わった減災・復興支援機構（東京）の木村拓郎理事長に集落再生の方策を聞いた。

―ふるさとの石巻市が被災した。２度の現地調査で感じたことは何か。

「津波の破壊力を思い知らされた。１カ所の被災エリアが想像以上に広い上、その場所も多い」

―津波で多くの人が避難したままだ。地域の大半が流された所もある。

きむら・たくろう　宮城県石巻市出身。東京大大学院修了。工学博士。1997年に社会安全研究所を設立した。日本災害復興学会・復興支援委員会の副委員長のほか、長岡市の防災専門員も務める。62歳。

「あの恐怖を味わい『もう海の近くに戻りたくない』と感じる人がいるかもしれない。集団移転という選択肢もあるが、デメリットも大きい。住んでいた場所が災害危険区域に指定されて住宅が建てられなくなる。1993年の北海道南西沖地震で津波を受けた奥尻島では、高台に移った住民がいた一方で、盛り土された沿岸部に戻った住民もいた。行政側は複数の集落再生メニューを用意し、住民でよく議論して決めた方が良い」

―中越地震で全村避難した旧山古志村は3年後に帰村を果たした。

「山古志は地域をうまく再生した例だ。山古志は防災集団移転事業より、柔軟に住宅を建設できる小規模住宅地区改良事業を選んだ。今は、多くが元の場所か近くで暮らしている。高齢者は新しい土地で暮らすのは難しい。その場所の匂いや土は代え難いもの。今回の避難者も漁業関係者が多く、海から離れられない。ふるさとに戻れば再建の意欲も湧いてくる。堤防を補強するハードと避難方法の拡充などソフトの両面で整備すれば、住民も安心できるのでは」

――東京電力福島第1原発の事故は収束のめどがつかず、避難者は生活再建を描けない。

「原発事故での避難は過去に例がなく、難しい問題だ。いつ、ど

山古志の帰村

中越地震では旧山古志村の梶金、木篭、大久保、池谷、楢木、油夫の6集落が国の「小規模住宅地区改良事業」を利用し集落に戻った。小千谷市や旧越路町などの集落で適用された国の「防災集団移転事業」では、以前の場所で住宅を建てられない。小規模――は、防災――に比べて地元負担が10倍掛かる一方で、住宅建設が柔軟にできるなどのメリットがある。小規模――は2005年の福岡県西方沖地震で被災した玄界島でも活用された。

こに帰られるか定める復興計画の作成主体がはっきりしていない。通常は市町村だが、放射能汚染が絡んで能力を超えている。避難者も広域にわたるため、県でも難しい。国がリードして地元の意見を聞きながら、一日も早く復興計画を作るべきだ。そうでないと住民も生活設計できない」

（2011年4月15日）

●中越大震災「女たちの震災復興」を推進する会・樋熊憲子代表

女性独自の視点大切
更衣室、トイレ意見反映を

東日本大震災の被災地では避難所生活が長引き、男女兼用のトイレやプライバシーを維持できないことなどについて、悩みを訴える女性が増えている。中越地震の被災女性たちの声を集めた記録集「忘れない。」をまとめた「新潟県中越大震災『女たちの震災復興』を推進する会」の樋熊憲子代表（長岡市）に、女性への支援の在り方を聞いた。

―被災地の避難所では一部で「更衣スペースがない」「トイレが男女兼用で使いにくい」といった声が出ている。

「中越地震ではトイレのために家に戻る高齢者がいたし、支援物資として生理用

ひぐま・のりこ　長岡市（旧越路町）生まれ。不動産賃貸業の傍ら、1992年に男女共同参画を推進する「F&Mながおか市民会議」の設立に携わり、現在は代表。61歳。

品は届いたが、体育館の真ん中に置いてあって使えなかったという声があった。問題は避難所運営に関わる女性が少ないこと。男性の力に頼る部分はもちろんあるが、女性ならではの視点も大切だ」

――避難中は仕事をするのも難しくなる。

「女性は避難所で子どもや高齢者の面倒を見て、男性が働きに行くという光景がよく見られる。中越地震でも避難所にいる女性が出勤しようとして『こんな時に子どもを置いていくのか』とほかの被災者から批判された人がいた。一方、出勤できなかったために降格になったケースもあった。災害中でも子どもを預かる態勢を整えるなど、女性が働きやすい環境づくりは地域にも企業にも求められる」

―被災した女性たちの声をまとめた意味は。

「1日に長岡市男女共同参画社会基本条例が施行された。この中では災害復興を含む防災分野でも男女共同参画社会の形成を促す措置の必要性が条文に盛り込まれた。女性たちの声を防災や復興を進めるためのメッセージとして、行政に伝えてきたことが生かされたと思う」

―被災地の女性たちに今、伝えたいことは。

「会では今、被災地の女性のために役立ててもらおうと、募金活動をしている。被災地では困っていることが多いと

新潟県中越大震災「女たちの震災復興」を推進する会
女性の視点から震災の教訓を発信しようと県女性財団の提言を受け、長岡市の女性8人で設立。2009年にシンポジウムを開催し、男女双方が地域の防災に携わる重要性を提言。また、被災女性の声を集めた記録集「忘れない。」をまとめ、「間仕切りは緊急備蓄物資に入れてほしい」などのメッセージを発信した。

思うが、その思いや体験を書き留め、可能ならば、いつかまとめてほしい。そうすれば、教訓として伝えていくことができる」

（2011年4月20日）

住宅地高台に集約を
通える距離の平場で仕事

●長岡造形大・復興支援センター　沢田雅浩センター長

東日本大震災の津波で壊滅的な被害を受けた東北地方の沿岸部では、高台へ集団移転する計画が話し合われている。被害が広域で安全な居住地域も限られるため、移転先での集落の再編が考えられる。中越地震の旧山古志村で、集落の再編・統合を呼び掛けた長岡造形大の沢田雅浩復興支援センター長に、震災後の集落の在り方について聞いた。

―3度の現地調査で感じたことは。

「岩手県大船渡市を中心に入り、同市には中越地震で使った集団移転の手法を伝えた。大船渡は沿岸の漁村部と商業地が、津波で大きな被害を受けた。明治三陸地

さわだ・まさひろ　広島市出身。慶応大大学院修了。都市防災が専門で、中越地震では復旧・復興の支援活動に携わる。2007年から長岡造形大准教授、10年から現職。39歳。

震（1896年）の大津波後、高台に移転した同市の吉浜集落は今回、被害が無かった。教訓を守った吉浜から学び、住宅地は高台に集約するべきだ」

―どのような移転が考えられるか。

「これまでの防災集団移転促進事業では、以前の場所で生業の再建ができない。しかし、海の近くに漁業施設は必要で、商業地も便の良い平場だから栄えた。津波の被害を受けた場所を完全に使えなくするのではなく、家は建てられないが、住民が津波のリスクを認識した上で、高層の商業ビルや漁業施設を造ることができる柔軟な仕組みが必要。『通い漁業』ができる距離の高台に移り、集落を再建してほしい」

―山古志では池谷集落など3集落を一つに再編する提案をしたが、住民は集落の維持を選んだ。

「過疎化が進む中、数年間は集落を維持できるかもしれないが、長期的視野に立てば再編は必要だと考えた。被害が大きい東北も過疎化が進み、集落の統合は避けられない。海の近くに高台を確保できない漁村は多く、近くの集落と一緒になり持続可能な地域にするべきだ。山古志では最近、集落の連携を模索する動きも出始めている」

「中越地震では、居住環境の厳しい山間部から、便利な平場への集団移転が行われた。東日本大震災では、便利な場所から不便な場所に移らなければならない。移転先の高台に商店を整備するなど、暮らしやす

中越地震の集落再編

旧山古志村で大きな被害を受けた池谷（地震当時34世帯）、楢木（ならのき＝29世帯）、大久保（21世帯）の3集落は帰村する人が少なかったため、一つに再編する計画が話し合われたが、住民は集落の維持を決めた。楢木集落は国の「小規模住宅地区改良事業」を使い、12世帯が池谷集落脇の造成団地に移転。池谷の4世帯も同団地に移った。

さをセットにして移すべきだ」

（2011年5月7日）

伝えたい　被災家屋

●建物修復支援ネットワーク・長谷川順一代表

解体せずに再建可能
全壊判定でも「希望ある」

東日本大震災では多くの住宅が津波に流され、今後、住宅再建のための建築資材が不足すると懸念されている。津波を免れた地域でも被災住宅は少なくなく、資材を有効活用するため「全壊」と判定された家屋でも解体せずに住宅を修復できる方法が注目される。中越、中越沖地震で修復作業を後押しし、今回の被災地でも住宅修復の説明会を行っている、新潟市の市民団体「建物修復支援ネットワーク」の長谷川順一代表に被災家屋の修復について聞いた。

—東北の被災地を訪れて感じたことは。

「中越、中越沖は地震の揺れで建物が壊れたが、今回は津波で削りとられたよう

はせがわ・じゅんいち　新潟市生まれ。木造建築を専門とする建築家。建物修復支援ネットワーク代表。古民家再生に取り組んだ経験をもとに、地震被害を受けた家屋の修復を手掛ける。50歳。

な壊れ方をしている。一方、津波被害を免れた内陸部の建物被害も深刻だ。建築資材を製造する東北の工場も被災していて、建材不足が深刻だ。新築に比べ、建材や時間が少なくてすむ修復の大切さをあらためて感じている」

―住宅修復について被災者の関心はどうか。

「これまで仙台市内で一般向けに2回、建築の専門家向けに1回説明会を開き、合わせて200人ほどが参加した。一般の市民だけでなく、今後の復興を担う現地の建築士や大工などの専門家の関心も高いと感じている」

―被災家屋を修復するにはどのような方法があるか。

「全壊・半壊などと判定されても、柱など骨組みが残っていれば、建物は修復できる。例えば、傾いた家をワイヤで引っ張り、水平・垂直の状態に戻す『建て起こし』だ。地盤や基礎が傾いている場合は基礎下に杭を打ち水平に戻す。中越地震での平均修復費用は960万円だった。修復は新築に比べて費用を半分程度に抑えられることも大きなメリットだ」

―今後はどのような支援が必要か。

「被災地では、『危険』という張り紙を張られたら自宅を取り壊さなければいけないと思っている人がまだ多い。修復について説明すると『胸のつかえが取れ希望が見えてきた』と言った人もいた。取り壊しではなく、修復という選択肢があることをこれからも伝えていきたい。また、現地の工務店や大工も被災していることから、人手が足りない。今も行われているが、全

建物修復支援ネットワーク

中越、中越沖地震などで被災家屋の修復を支援した長谷川順一氏が中心となり、2007年に設立。全国の木造建築の専門家らで構成され、メンバーは24人。中越沖地震では約500件の相談を受けた。

国からの継続的な人的支援も欠かせない」

（2011年5月20日）

中越の知見生かそう

取材記者座談会

死者・行方不明者が2万人を超える東日本大震災。死者68人の中越地震とは被害が桁違いだが、津波被害を受けた沿岸部には、中越と同様に過疎高齢化が懸案の地域も多い。生活再建、復旧復興へ向けて、中越地震の知見が生きる場面も少なからずある。中越と東日本、二つの震災を通して見えてくる共通点や違い、今後の課題などについて、両震災を取材してきた新潟日報の記者3人が話し合った。（2011年6月28日）

大塚清一郎（司会）　東日本大震災が起きてから、新潟日報社では多くの記者を被災地に派遣している。実際に現地に赴いて、どのような感想を抱いたか。また中越地震や中越沖地震と比べて、気付いた点は。

高橋渉　大震災発生当日の夕方に新潟市の本社を出て、山形経由で翌日、仙台市に入った。中越地震のときは道路がずたずたで被災地になかなか着けなかったが、今回は信号は消えていたが、道路はほぼ大丈夫だった。これまでに5回、被災地取材に入ったが、衝撃的だったのは最初にコンビナートが燃えていた仙台市若林区。あと、海まで何キロもあるところから街が壊滅していた岩手県陸前高田市。津波被害の大きさに驚かされた。

小原広紀　中越のボランティアに同行して、発生2週間後に被災地に入った。津波が襲ったところと無事だったところの落差に驚かされた。岬と入り江が入り組むリアス式海岸で、岬部分は家も道路も大丈夫だが、入り江は壊滅。あまりに両極端だった。当時から「復旧復興へ足並みがそろうか心配」と話していた主婦がいたが、同一地域でも被害に差がありすぎて、同類意識が持ちづらいのかもしれない。

高橋　確かに、道路一本隔てて、被害が全く違う。中越地震では、誰もが何かしら被害を受けて「みんな被災者」の雰囲気があった。けれど、今回は境目がすごくはっきりしている。津波がなければ、亡くなった方はかなり少なかったのではないか。

大塚　揺れそのものの被害はあまり見られず、津波の被害がひどい。そこがやはり、中越地震との決定的な違いだった。

高橋　中越地震では死者68人のうち家屋倒壊や土砂崩れによる直接死は16人。子どもを失った小千谷市の遺族にずっと取材してきたが、今回の大震災では、そんな被災者ばかりだ。子どもを亡くした母親も、被災直後は周りにそんな人がいっぱいいて、自分だけ泣いていられないと張り詰めていた。取材する私たちも人の死というものにまひしていくように感じ

おおつか・せいいちろう　新潟日報社編集局編集委員兼報道部長代理。1989年入社。本社報道部、柏崎支局、長岡支社などを経て、東日本大震災発生後はデスクとして現地取材班を統括。

こはら・ひろき　同社長岡支社報道部次長。93年入社。柏崎支局、本社報道部、東京支社などに勤務。中越地震の連載「復興公論」（2005〜06年）「ふるさと再生」（10年）などを担当。

て、苦しかった。

小原　現地に行く前に、福島県から長岡市や小千谷市に避難した人を取材した。息子を亡くしたおばあちゃんが「遺体が見つかっただけよかった」と話していて、そのときは「子どもを亡くしてそんな風に思えるものか」と思った。でも、実際に津波の被災地に行くと、文字通り壊滅している。おばあちゃんの言葉が実感として理解できた。

高橋　津波と原発以外の被害も少しずつ明らかにはなっている。仙台市の青葉区の造成団地では宅地が崩れて、かなり大きな被害が出た。中越、中越沖と同様だ。

小原　宮城県でショッピングセンターの天井が崩れて、女の子が亡くなった被害もあった。しかし、揺れによる被害は津波と原発に隠れて、大きな問題になっていない。

コミュニティー維持

大塚　福島第1原発の事故も、中越地震との大きな違いだが。

小原　全村避難した福島県の飯舘村などは、家屋や道路の被害はほとんどないのに、先祖伝来の土地を出なければならない。住民の無念を思うと、本当にやりきれない。

今回、原発周辺の住民は本当に散り散りだ。20キロ圏内の浪江町は、鳥取県を除く46都道府県に分かれた。

たかはし・わたる　同社編集局報道部次長。94年入社。長岡支社、本社報道部、妙高支局長などを務めた。中越地震では連載「復興へ」（04〜05年）「復興公論」などを担当。

また、他県でも一度バラバラに避難したところでは、地域の絆を維持するのが難しい。仙台ではコミュニティーを重視しようと、仮設住宅の入居要件を当初10戸以上のグループにしたが、入居が進まなかった。都市化で人間関係が希薄になったというのもあるが、散り散りになって隣近所とも連絡がつかず、それぞれが個別に民間アパートなどに移った。
一方、福島県の北端にある新地町では、住民がまとまって避難し、仮設住宅の入居も一緒にできた。山古志などと同様に「○日から仮設に移ろう」と集落として意思決定できた。避難所段階からコミュニティーを維持できたかどうかが、その後に大きく影響するということがよく分かった。
高橋　中越地震のときは、避難所で既にコミュニティーが維持できていた。山古志村民は一度先着順で避難所に入った後、集落単位に再編した。
大塚　それにしても、仮設住宅の建設、入居が遅れているのは、どこに原因があるのか。
小原　物理的に土地が足りないというのもあるのかもしれないが、建設地の選定にも課題があると思う。福島県富岡町などは、この町に数十戸、あの村に数十戸というようにバラバラだ。もう少し県なりが調整できなかったのだろうか。
高橋　調整はある程度はやったが、できなかったのが実情だ。避難所から子どもが学校に通い出したりすると、みんな近くの仮設住宅がいいということになる。郡山が一番人気で、次が福島というように。もう少し県が早く、うまくコーディネートできればよかったかもしれない。

このままだと仮設で、孤独死などの問題がたくさん出ると思う。中越と同じようにもともとコミュニティーが強いところが多く、被災で地域が引き裂かれたときの孤独感は、もともと人間関係が希薄な都市部よりも、ずっとひどいのではないか。

小原　中越でも、少しだが孤独死があった。あれほどコミュニティーに配慮して、多くのボランティアが手厚く対応したのに。東北では中間支援組織やボランティアが頑張らないと、大変なことになるだろう。

大塚　生活基盤を失った人も多い。会社や工場が津波で流され、漁港もやられた。農業も塩害などがひどい。原発事故で酪農も被害を受けた。

小原　中越でも水田や養鯉池が崩れて途方に暮れた被災者が結構いたが、今回は非常に絶望感が深い。町中心部が壊滅的な被害を受けた宮城県女川町では、住む場所よりも仕事を失ったことによる不安の方が大きかった。このままではみんな仙台、石巻などに出て行くのではないか、と。住宅の高台移転も重要だが、それ以上に「ここで食べていける」という見通しが示せないと、住む人がいなくなってしまう。

高橋　帰れる場所があるかないか、ということも大きい。中越は地盤災害なので、地盤や道路さえ直せば、仮設住宅から通って田んぼや養鯉池を直すことができた。今回は津波で家も、働く場も流された。原発事故で、帰郷の目標さえ掲げられない被災地もある。

大塚　経済的な支援は、どうしたらいいか。

高橋　被災者生活再建支援法が、中越地震の後で改正され、使途制限がなくなって渡し切りになった。いろんな制度が使い勝手はよくなってきてはいる。それなのに、対象者が多いからか支給し切れていない。当座のお金がないからと、避難所にいる人もいる。義援金の配布も、市町村によってだいぶ差がある。

大塚　今後、住宅再建の過程で集団移転なども課題になる。コミュニティーを維持できるのか。

小原　宮城県気仙沼市の舞根集落の住民は自らバスを仕立てて、長岡市の川口、山古志両地域に視察に来た。集落にリーダーシップを取る人がいて、「このままではバラバラになってしまう」と避難所で話し合いを重ねて、集団移転の方向を決めた。リーダーがいるかいないかは大きい。中越の時にもそう感じた。

高橋　集団移転は、中越では不便な山間地から便利な平場への移転だったが、今回は平場から高台、山間への移転だ。1993年に津波被害に遭った北海道の奥尻島は、かさ上げして住宅地を造ったが、結局、人口流出に歯止めが掛からない。何かしら利点がないと。

今後のまちづくり

大塚　石巻市で津波にひどくやられて更地になったところを取材したが、そういう地域をどう復活させるか。あれだけの津波が今後も来るかもしれないという想定で、どう防災するか。かさ上げするのか堤防を造るのか。どのようなまちづくりをしたらいいか。

小原　今後のまちづくりまでまだ思いが至らない被災者、地域が多い。

そんな中で、町民の仮設入居がほぼ終わった新地町では、壊滅した常磐線の駅を町中心部に動かそう、などと都市計画を議論し始めている。新地町は数年前に相馬市との合併協議を打ち切り、独立したまちづくりをしていることも一因だ。火力発電所があって財政力もある。町長は「合併しない判断は間違いじゃなかった」と強調していた。

高橋　山古志だって、中越地震以前に合併して長岡の一地域になっていたら、全村避難という言葉も使えず、あれほど大きな取り扱われ方はしなかったはずだ。

小原　集団移転を希望する気仙沼市舞根地区の人たちは2006年に合併した。「役所はどうしても気仙沼の中心部が優先になる。集団移転の要望が通らないのは合併のせいもある」と指摘していた。合併の弊害も今後、問題になるだろう。

大塚　元に戻す復旧ではダメで、新しいまちをつくらないといけない。これからの大きな課題だ。

高橋　岩手県大船渡市の吉浜集落では、昔の地震で津波に遭った場所には家を建てるな、という教えを守り続けてきた。それで死者は1人にとどまった。しかし、それは100戸ぐらいの集落だからできたこと。沿岸全部がそんな風に結束できない。

各地で堤防が破られたわけだから、おそらく沿岸に緑地帯を設けて、その内側に盛り土の道路を設けて、みたいにするのだろう。かさ上げして新しいまちをつくる構想も出ているが、実際にできるのか、心配だ。

大塚　阪神大震災から震災取材を続けている神戸新聞記者が「まちづくりは国が考えちゃだめ。住む人が大切だ」と強調していたが、その通りだ。国より県、県より市町村で、突き詰めていくと、被災者一人一人がどういう街でどんな風に暮らしたいかを模索するのが大切だ。そうでないと、お仕着せのまちづくりになる。その記者は阪神の悪い例として、お年寄りが住みにくい高層の復興住宅を挙げていた。

高橋　宮城県名取市の閖上(ゆりあげ)とか、大槌町とか、各地で行政ではなく、自分たちで考えようという団体ができてきている。行政が市町村合併の弊害などをなくして、住民の声にちゃんと耳を傾けないといけない。

小原　国の復興構想会議では、そういう議論こそが必要なのではないか。国として、地域が自主性を発揮できる体制をどうつくり、どう予算をつけ、支援するかを。

大塚　国が全面に出てこうすべきだ、といっても、実情には合わないことがあるだろう。

小原　ここは15メートルの津波が襲ったから、20メートルの防波堤を築きましょう、という画一的、短絡的な話にすべきではない。港や海水浴場があって海と共生してきた地域が、個性を生かして復活できるようなサポートが必要だろう。

高橋　もちろん、今回以上の地震、津波が来ても避難できる経路、場所を確保するというといった防災体制は大前提だ。

被災地責任

大塚　中越地震の教訓は、今回の大震災で生かされているのか。

小原　被災地が広すぎるので、すべてに中越の知見を生かせるわけではない。ただ、各ポイントでは生きている。例えば、巨大な避難所となった郡山市の「ビッグパレットふくしま」で中越防災安全推進機構メンバーが運営のアドバイスをしており、宮城県は中越をモデルに地域復興支援員の導入を進めている。「阪神大震災よりも中越の例が参考になる」という地域も結構ある。女川町の復興ビジョン検討会には、中越に詳しい新潟大の研究者が招かれている。中越地震後、阪神と中越が、それぞれ都市と山間地、過疎地のモデルになり得ると言われてきたが、ある程度、その役割ができてはいると思う。

高橋　仮設を完全にコミュニティーごとに割り振りできなくても、抽選の中でも地域性に配慮するといった取り組みはされている。仮設住宅に介護福祉施設や診療所を設けるといった点では、中越の教訓が生きている。

大塚　ところどころで生かされているが、全体に行き渡っているかというと、そうではない。

小原　ノウハウ、経験を伝えられる人がいれば、かなり有効だと思う。中越地震後、長岡市は3年間、技術系の行政職員の派遣支援を受け入れたので、今回も長岡からは技術系の職員が長期派遣されている。今後は復興計画づくりなどソフト面の支援が強化できないか。

高橋　関連死の認定マニュアルも、中越地震のときの長岡市のものが活用された。小千谷市は福島県の南相馬市に、復興計画作り支援のために職員を出している。県内の市町村が、特定の市町村や地域を決めて支援するのもいいと思う。

小原　市町村同士の対向支援をやってみてはどうか。県や市長会などが調整してもいい。民間では、中越防災安全推進機構が、陸前高田市の半島部を集中的に長期支援することを決めている。

高橋　山古志のように象徴、トップランナーをつくるといい。中越では山古志村外から「山古志ばっかり特別扱いされている」という声もあったが、山古志の人は「おれたちが頑張れば、支援が底上げされ、みんながよくなる」と言っていた。そんな風に「あそこは中越のアドバイスで、すごいことをやっている」という地域ができると、広がりも生まれる。

大塚　新潟県が多くの避難者を受け入れたことも、今回の大震災の大きな特徴だ。復旧復興支援とは違うジャンルで、私たちは当事者となったわけだが、避難者支援の在り方をどうみているか。

高橋　避難者への支援は手厚かった。ただ、何カ月もたつと、どこまで支援したらいいのか考えてしまう。福島に帰りたい人に対して、新潟からの支援によって帰郷にストップをかけていいのかとも感じる。

小原　長岡市などでは「中越地震の恩返し」と市民ボランティアや企業が積極的に支援した。既に2次避難所や借り上げ住宅などに移ったが、そこから先は避難者の意思によるしかなく、いまひとつ不透明だ。

高橋　子どもに福島県内の受験の情報が入らないといって、困っている避難者もいた。避難所から賃貸住宅などに移ると、さらに情報過疎になる。原発や仮設住宅などの情報を正しく、早く伝えることが求められる。

大塚　中越と東日本の被災地をつないで見えてくる普遍性、共通性は何か。

小原　被災地では、いずれ忘れられるのではという懸念の声が既に出ている。中越地震の1年余り後に「風化させない」という連載を担当したが、風化してきた裏返しでもあった。中越の人たちは過疎地の復興がいかに大変かを一番知っている。だから中越から「ともに歩もう」といったメッセージを、強く打ち出せないかと思っている。
「被災地責任」という言葉が阪神大震災以来、使われている。被災地は経験なりノウハウを次の被災地のために生かさなければならない、という意味だが、私たち記者も含めて中越からできることをやる必要がある。
高橋　東北では「山古志の人は何割ぐらい帰ったんですか」と何度も聞かれた。6、7割と答えると、「そんなに帰ったんですか」と驚かれる。その後に「でも、私たちはね…」と悲観的になるのだが。
小原　大震災の被害が大きすぎるせいで、山古志などの話をすると、すぐに「規模が違うから」と言われる。しかし、山古志だって人口2千人の一地域だ。山古志がいいというのであれば、被災地を2千人ごとに区切って、各地が山古志のような復興を目指せばいい。財源などの問題があるなら、山古志でやったことの何ができて何ができないのか、最初から諦めずに検証したらいい。
高橋　東北の被災地でも、漁村や農村の人たちの古里への意識、思いは特別に強い。中越の被災地と同じだ。

小原　コミュニティーの維持や過疎地の再興などの断面で見れば、共通点の多い震災だと思う。ノウハウを生かせる部分も多いだろう。

高橋　中越地震のときは、まるで規模の違う阪神大震災を経験した人たちが、助けに来てくれた。その両者が、今度は一緒に東北の被災地を助けないといけない。それが被災地責任でもある。

中越地震の経験でいいところは、どんどん取り入れてほしい。復興基金もいい面も多かったが、反省点もある。例えば最初から柔軟に多くの支援メニューを出すべきだったとか。今回の大震災では基金がどうなるか分からないが、選択肢をたくさん用意して復興への意欲を高めるとか、そういうノウハウも伝えたい。

大塚　被災地にエールを送るとしたら。

高橋　復興には、これをしたら必ずよくなる、という正解はない。中越もそうだが、古里に戻れても、過疎高齢化は解消されておらず、将来が明るいという保証はない。

ただ、戻りたい人がいるなら戻れるシステムを作るべきだ。まさに、日本という

国が試されている。近代国家として、古里に住みたいという普通の願望を、かなえてあげるのが当然だと思う。

大塚　国民の安全安心を守る国家の役割が、災害時にこそ試される。住んでいる土地によって差別されてはいけない。都会だから復旧復興するけど、過疎地からは出てこい、ということがあってはならない。

小原　それはまさに、中越が警鐘を鳴らし、あがってきた〝都会の論理〟だ。人の暮らしの再建、復興を経済指標だけで考えるべきではない。だからこそ、中越の思いを発信したい。中越の雪深い山間地にあえて戻った人がいることを知らせるだけで、勇気を与えられるケースもある。

大塚　新潟日報も大震災の被災地報道に力を入れて

いる。東北の現状を県民に知らせ、また東北の人たちに中越の経験を伝えることは非常に意味があると考える。中越の災害メモリアル拠点構想にも、その狙いがある。

小原　メモリアル構想には「こんな災害があったよ」と昔話をするだけではない、大きな意義があると思う。まさにノウハウ、経験を広く伝え、生かすために。災害は今後も必ず起きるから。

高橋　山古志をはじめ中越全体が「被災地責任」を負っていると言えるかもしれない。あんなにお金を掛けて山間地の復興に挑んだけれども、失敗したという前例になるわけにはいかない。

大塚　中越地震を経験した私たちは、東日本大震災の復旧復興へ何ができるのかを今後も考えていかなければならない。

阪神・淡路、中越、東日本、そしてその向こうに

社団法人中越防災安全推進機構
長岡震災アーカイブセンター長

平井邦彦

1、指針としての阪神・淡路大震災

阪神・淡路大震災（1995年1月17日）と新潟県中越地震（2004年10月23日）とでは、被災様相、震災対応も全く異なる。前者は多大な人的被害をもたらした人口稠密（ちゅうみつ）な大都市被災であり、後者は人的被害は格段に少なかったが過疎高齢化が進む中山間地被災であった。震災復興も一方は都市復興、まちなかの新生・再生であり、他方は中山間地復興、集落の新生・再生であった。二つの震災対応は全く性質が異なるものであったが、実は、阪神・淡路大震災での苦い体験と反省、得られた知恵・ノウハウ・技術、育った人材などが総動員されたのが中越地震であった。

阪神・淡路大震災は、神戸をはじめとする関西地方だけでなくわが国社会全体に対して大きな衝撃を与えた。国・自治体、市民、企業、学者・研究者等はいずれも深く反省し、災害に関する予防、災害発生時の初動、応急対応、復旧、復興の諸分野における検討・研究、体制整備・強化等を鋭意進めた。阪神・淡路大震災から中越地震発生までは約10年であるが、わが国の地震災害への予防や対応などの能力はこの10年間に格段に進んだ。中越地震は、阪神・淡路大震後の各部門、各分野の成果を問うものであった。

阪神・淡路大震災の時には、自衛隊は初動の遅れを、消防は広域連携を厳しく批判された。中越地震では、自衛隊は全村避難した旧山古志村（長岡市）等の住民のヘリコプター輸送や被災地救援でその威力を示したし、消防は阪神・淡路大震災後に編成したハイパーレスキュー隊を緊急派遣して崩落現場から2歳の男児を救出して日本中の注目を浴びた。阪神・淡路大震災時に新幹線の軌道は大きなダメージを受けた。幸い列車は走っていなかったが、国民の背筋を凍らせた。それに対し中越地震では時速200㎞で走行中の新幹線が脱線しながらも奇跡的に死傷者ゼロであった。これも阪神・淡路大震災の後に施された支柱等の耐震強化の表れであった。

新潟県についても、県および中越の中心都市である長岡市をはじめとして他の市町村も阪神・淡路大震災の後で地域防災計画を大幅に改定していたし、自治体連携も進んでいた。中越地震の発生は新潟県知事交代の30時間前に発生し、新知事の最初の県政が災害対策本部長であった。兵庫県、神戸市などは地震直後から新潟県や被災市町村に情報や人材を提供した。

民間の動きも活発であった。長岡市内には三つの大学、四つの総合病院、商工会議所などを中心として活発な活動を展開する諸グループがあった。これらのグループは阪神・淡路大震災で起きたこと、経験したことを念頭に置きながらまちづくり、医療、福祉、教育、国際交流などの分野において連携活動やネットワークづくりを中越地震発生前から行っていた。彼らもまた地震直後から中越内外と連絡をとりながらさまざまな活動を展開した。

むろん、中越地震発生後には初動、緊急対応、応急復旧、復旧、復興の諸段階においてさまざまな困難や障害があり、中越独自の創意と工夫で乗り越えなければならなかった課題も多かったことは確かである。被災者生活支援法のように、阪神・淡路大震災後に制定された法律の最初の大規模的適用例というような新しい対応もあった。しかしながら、中越地震対応には一つの大きな指針として常に阪神・淡路大震災があった。

2、「中越」が受け取ったもの

中越地震が阪神・淡路大震災から課題として受け取ったものは数多いが、その中で大きかったのは「コミュニティ」と「協働のまちづくり」であった。

まずコミュニティであるが、阪神・淡路大震災においては、この課題に適切に対応できなかったことは最も大きな反省点の一つであった。阪神地域では、環境が良好とはいえない木造密集市街地が激甚な被害を受けたが、そこでは借家住まいの多くの高齢世帯が暮らしていた。こうした地域は、中小零細企業やその従業員、商店などが一体となって一つのコミュニティを形成していた。阪神・淡路大震災ではコミュニティは4回壊されたといわれた。1回目は地震の直撃によって、2回目は学校や公民館等の避難所で、3回目は仮設住宅で、4回目は復興公営住宅においてである。高齢者は住まいは確保できたものの震災後の社会の中では個となって浮遊する存在となっていった。この阪神・淡路大震災では心のケア、災害弱者、孤独死などいくつものキーワードが生まれたが、これらはいずれもコミュニティ問題とも密接に関連していた。中越地震ではこのコミュニティ問題はまず突きつけられた大きな課題であった。

次に協働のまちづくりであるが、これは震災復興問題に直面した神戸市においてとられた方式である。この方式は、住民・事業者がまちづくりの主役であると位置づけ、まちづくり協議会を設置した地区においては行政と専門家が加わってまちづくりを進めようというものであった。まちづくりには都市計画、建築、法律、財務等多方面にわたる専門家の参加が不可欠であるが、専門家のアドバイスやコンサルティングに必要な費用は神戸市が負担した。この協議会方式の協働のまちづくりは震災前から進められ

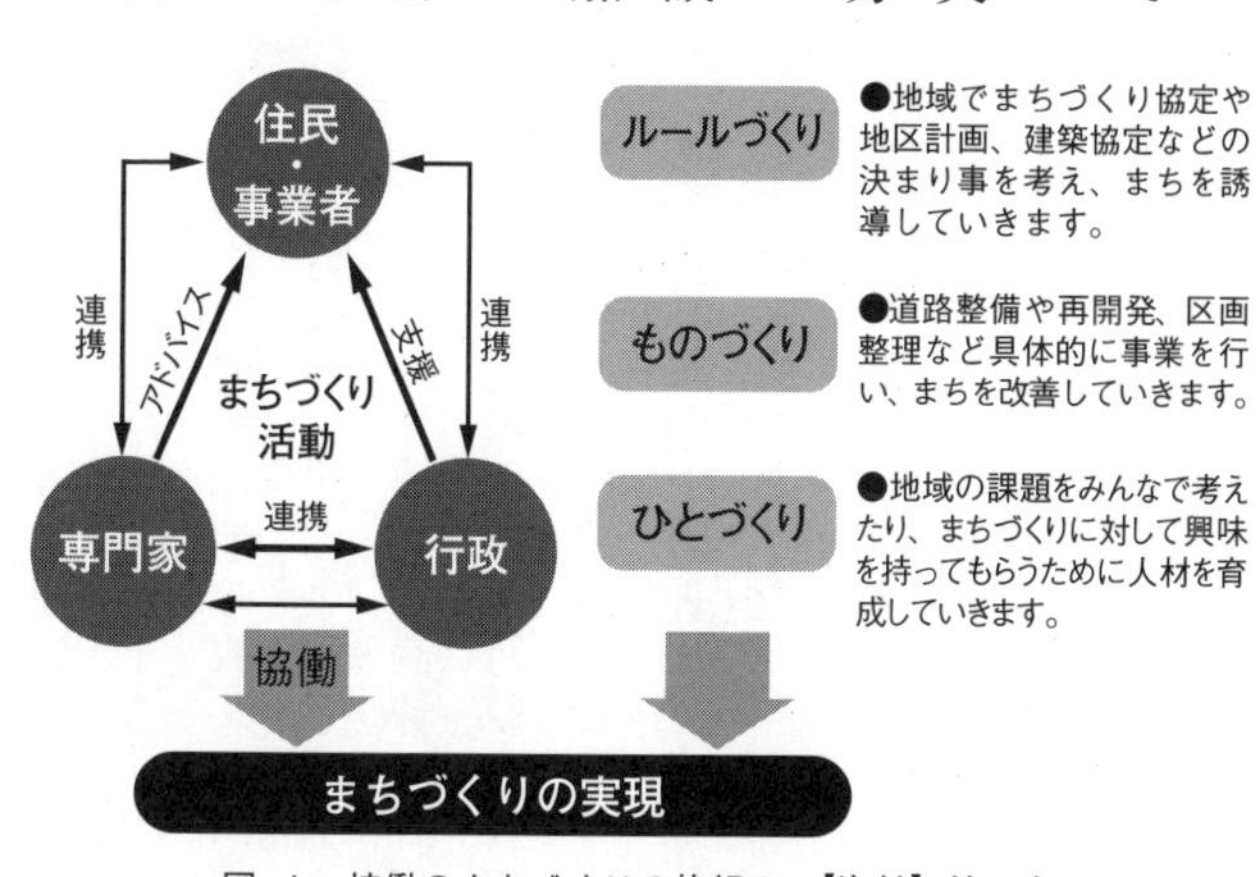

住民・事業者
連携
アドバイス
支援
連携
まちづくり活動
専門家
連携
行政
協働
ルールづくり
●地域でまちづくり協定や地区計画、建築協定などの決まり事を考え、まちを誘導していきます。
ものづくり
●道路整備や再開発、区画整理など具体的に事業を行い、まちを改善していきます。
ひとづくり
●地域の課題をみんなで考えたり、まちづくりに対して興味を持ってもらうために人材を育成していきます。
まちづくりの実現

図-1　協働のまちづくりの枠組み　【資料】神戸市

ていたものであったが震災前は12地区でしかなかった。しかし、震災後は100を超え、震災復興におけるさまざまな局面で大きな役割を果たした（図－1）。

中越の中山間地では地震前から過疎高齢化が進み、棚田など耕作地の放棄、山林の放置などの衰退が進んでいた。そして、これに対して行政と住民によるさまざまな活性化策が講じられていたが効果はなかった。地震による激甚被災は過疎高齢化の時代の流れを一層加速する恐れがあったが、中山間地の震災復興を、行政―住民という従来の構図の中で進めることには大きな限界があった。中山間地のむらづくりに専門家が存在するのかという問題はあったが、外部から行政でも住民でもない新しい人材を送り込んで協働のまちづくりを進めることが必要であった。

3、中越地震が生んだもの

(1) コミュニティ最優先

中越地震では何よりもコミュニティを最優先する対応がとられた。

中山間地で大地崩壊ともいうべき大地盤災害が起きたために、地震直後から多数の被災者が長岡市、小千谷市、川口町などの町なかの公民館、学校体育館などに避難した。避難者は中山間地住民が多かったが、都市部の避難者も交じっていた。とりあえずの避難であったために、中山間地と都市部の住民が入り交じっての避難所生活が始まった。しかし、こうした雑居避難ともいうべき状態ではコミュニティごとの統率がとれないことは明らかであった。このために、全村避難した旧山古志村の場合にはすでに避難所生活の段階で集落ごとの再編が行われた。これにより、避難者は地震前のコミュニティを維持しつつ避難所生活を送ることが可能となった。

避難所の次は仮設住宅であるが、ここでも重視されたのは集落、地区ごとのコミュニティ単位での入居であった。仮設住宅地では、阪神・淡路大震災の反省から、集会所や介護や心のケア等のためのサポートセンターなども併設され、こうした施設の活用により、被災者は仮設住宅生活のなかでも集会、イベント、ボランティアとの交流、行政との折衝など、さまざまなコミュニティ活動を展開することができた。

仮設住宅生活の次は帰村か都市居住かの選択である。「みんなで帰ろう、山古志へ」は一つの象徴的な言葉となったが、すべての人が帰村を選択したわけではない。中越は日本でも有数の豪雪地帯であり、冬の高齢者の生活にはさまざまな困難が伴う。地震前からそろそろ山を下りようと思っていた高齢者や、長岡市内などの町場に住む子どもたちから下りて来いという誘いを受けていた高齢者も少なくなかったために、地震を契機に、集団であれ個別であれ町への移住を選択した被災者も発生した。震災前の中山間地集落では、山を下りる人と山に残る人の間には感情的なしこりが残る場合もあったが、仮設住宅生活の中でお互いに語り合うことによって、山に戻る人と戻らない人もそれぞれの立場を理解し合うことができた。

そしていよいよ仮設住宅退去であった。これは早いところでは2年後から始まり、全世帯退去には3年を要した。3年後の帰村者人口は全体としてみれば地震前の70％、すなわち30％減であった。しかも、帰村者には高齢者が多かったために高齢化率は地震前よりも上がった。そこで課題となるのは、過疎高齢化が一層進んだ中山間地の集落コミュニティをいかに維持していくかであった。中越地震から7年、中山間地集落コミュニティの維持・再生の取り組みは今も進行中である。このように、中越地震におけるコミュニティ対応は、地震直後から始まり今なお続いている。

(2) 多様な「中間支援組織」の出現

阪神・淡路大震災の後、わが国では二つの大きな社会変化が起こった。

一つはＮＰＯの出現である。１９９５年の阪神・淡路大震災では多数のボランティアが被災地にかけつけて多様な支援活動を展開し、この年はボランティア元年とも言われた。このボランティア活動は１９９７年1月のナホトカ号重油流出事故では再び大きな威力を発揮し、重油が流れ着いた真冬の日本海沿岸にひしゃくを手にした何万人ものボランティアが駆けつけた。１９９０年代に入ってわが国に顕著に起こったのは、地球環境、人道支援、まちづくり、福祉・介護等の諸分野において、明確な意思や志をもった人たちの社会参加であった。こうした動きは、１９９８年のＮＰＯ法を生み出した。どんな社会活動もそれがボランティア活動である限り何ら法的・制度的裏づけをもたなかったが、ＮＰＯ法以後は一つの社会セクターとしての存在感を増していくことになった。

もう一つは、阪神・淡路大震災以降に急成長したインターネットである。阪神・淡路大震災において、インターネットの有効性が一部では認識されていたが、その利用は非常に限定的なものであった。携帯電話もその利用者は大企業などごく一部であった。わが国でインターネット利用が急拡大するのは、その名の通り１９９５年末のウインドウズ95の発売以降である。これに携帯電話の急速普及が加わり、メールの利用は全国あまねくと言っていいほど行き渡った。中越地震が発生した２００４年には、高校生いや中学生もが携帯電話を持ち、メールをやりとりする時代となっていた。

二つの大きな社会的変化、すなわちＮＰＯあるいはＮＰＯ的グループの台頭とインターネット普及が結びついて生まれたのが多様な「中間支援組織」であった。中間支援組織とは、大学、ＮＰＯ、ＮＧＯ、市民団体、ボランティアなど、行政と住民の間に立って課題解決のための活動を行う組織であり、そのカバーする領域は環境、教育、福祉、まちづくり、防災等広範囲に及ぶ。長岡市を中心とする中越地方には、地震発生前に多様な中間支援組織あるいは中間支援的グループが存在していた。このような中間支援組織は中越地震発生と同時に行動を開始した。

（3）3極構造の震災対応と震災復興と基金

中越地震の震災対応と震災復興は、阪神・淡路大震災での経験・反省・学習に大きな社会変化が加わって展開されたが、その大きな特徴は、「行政―被災者」という従来の「2極構造」ではなく、「行政―被災者―中間支援組織」という「3極構造」が形成され、そこに「協働」が生まれたことであった。（図－2）

被災者に寄り添い、福祉・介護、村おこし、被災商店街支援、帰村後の集落の復興計画や活性化方策などの諸分野で多数の中間支援組織が活動したが、携帯電話とメールの普及が、誰があるいはどのようなグループがどこでどのような活動をしているのかに関する「情報の共有化」を可能とした。また、中越地方の場合、中山間地といっても長岡市中心部から車で30分ほどの距離であり、会議や打ち合わせや集会は町のなかでも集落でも必要に応じて随時開催することができた。そしてこの中間支援組織が集団となって一つの社会セクターを形成し3極構造を形成した。

阪神・淡路大震災の協働はまちづくりという一面での3極構造であったが、中越地震では被災直後からの避難所生活、長期にわたる仮設住宅生活、帰村後の集落の維持・活性化、集落と都市や他地域との交流促進など、長い時間軸の中のいずれの段階でも中間支援組織の活動が継続した。この活動は7年後の今も続いているし今後も続けら

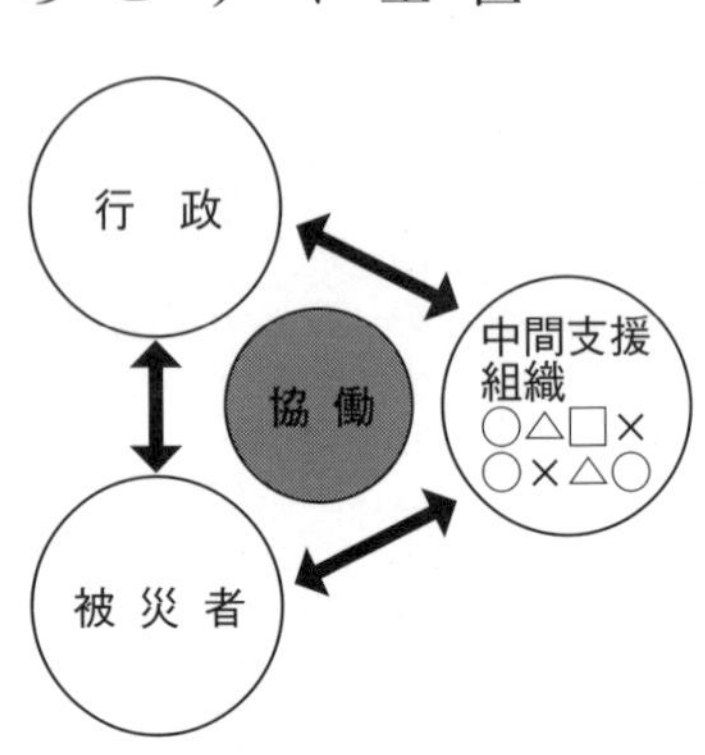

図－2　中越で生まれた震災支援・復興の3極構造

れていく。

中間支援組織の活動は無償のボランティア活動ではない。無償では長期にわたる活動はできない。活動のためには資金がいるが、その資金源となったのが中越大震災復興基金であった。これは新潟県が市中銀行から10年限定で3000億円を調達し、それを無利子で財団組織である中越大震災復興基金に貸し付けるものである。財団法人はこれを年2％で運用し、年間60億円、10年間600億円の復興支援事業を行う。新潟県は利息を市中銀行に払わなければならないが、この利息分は交付税措置などによって国から補填（ほてん）される。

復興基金は財団であるために、行政の予算とは異なり迅速かつ機動的な資金運用を可能とさせた。復興支援事業のメニューは被災者生活支援、雇用対策、被災者住宅支援、産業対策、農林対策、観光対策、教育文化対策などの多岐にわたるが、特筆すべきは地域復興支援事業として、復興支援ネットワーク、復興ボランティア活動支援、地域復興デザイン策定支援、地域復興支援員設置、地域復興人材育成など、中間支援組織の活動を支えるメニューが用意されたことであった。メニューは最初から固定的なものではなく、復旧・復興の経過を見ながら適宜追加されていったものもある。中間支援組織の活動を支える一定の財源が確保されたことが、3極構造を生み出す大きな要因となった。

4、東日本大震災、3極構造支える新たな資金の流れを

想定をはるかに超える大津波と原発被災という二つの巨大災害に見舞われた3・11東日本大震災においては、阪神・淡路から引き継がれ、発展させてきた震災復興の3極構造の形成が極めて困難な状況に陥った。

まず行政については、多くの行政職員が犠牲となった。町長を亡くしたり、職員の4分の1近くを失ったところもあった。生き残ったものの、家族や身近な人々を失った上に住まいの確保もままならない職員も多かった。人的資源だけでなく、データや庁舎も失われた。行政機能マヒという自治体が多数発生した。

被災者については、コミュニティはバラバラになってしまった。原発被災の福島県では、被災者は県内にみならず県外の遠くまで散らばった。津波被災地では今回の津波浸水区域を避けて仮設住宅を建設しようとしても、用地が圧倒的に足りなかった。町ごと集落ごとなどコミュニティを重視した仮設住宅建設などは言っていられず、とにかく必要な数の仮設住宅供給を最優先せざるを得なかった。今後の都市や町や集落の復興に向けて合意形成を図っていくことが極めて困難な状況に陥った。

中間支援組織については、ボランティア、市民団体、大学、学会、NPO、NGO等々、支援の広がりは国内のみならず海外にまで及んでいる。インターネットでも震災復興支援に関する情報は膨大である。しかし現地での活動には障害が多く、長期間滞在して継続的支援活動を展開する条件は整わなかった。原発被災地には立ち入れない地域もあり、津波被災地の広がりは広大である。中間支援組織は活動しようにも、被災地あるいはその近くには宿泊する場所すら圧倒的に不足するという事態であった。特に岩手県の三陸沿岸では、活動拠点を設けられないという被災地も少なくなかった。

3・11から半年以上が経過し、事態は徐々にではあるが改善しつつある。行政機能は、全国自治体からの多数の人員支援を受けて回復に向かっているし、難渋を極めた仮設住宅も完成し、被災者の多くは自分の住まいでの生活を始めた。中間支援組織が現地で支援する条件も少しずつではあるが整えられてきた。

原発被災地についてはは先が見えない状況が続いているが、津波被災地については2段階3極構造ともいうべき形が見えつつある。

第1段階は、津波に対してどういう居住や都市活動をするのかという基本事項に関する合意形成である。居住、生産、教育、交通などに関し、ここは禁止、ここは制限、ここはOKというように都市や町や村の将来のありようについての合意形成である。復興総論合意といっていいであろう。

これに関しては、国が被害調査や計画作成に関して大きな予算を組んだことから、6月ごろから津波被災市町村においては、学識経験者や専門家なども加わった復興計画についての委員会や会議が設置されて検討が進められており、秋から年内の計画策定を目指している。市民独自で復興計画を考える動きも並行して進んでいる。この第1段階は行政主導的な面が強くなる可能性もあり、純粋に3極構造とはいえないかもしれないが、いずれにせよ復興総論合意がなければ前に進まないことは明らかである。

中越で生み出されたような3極構造が必要となるのは、復興が第2段階の各論に向かう来年以降となるだろう。総論で賛成できても各論ではそうはいかない。自分たちはもうここには住めない、高台に移転しなければならないと分かってはいても、どういう住宅でどういう暮らしをするのか。どれだけ費用がかかるのか。被災者は、仮設住宅や避難所での生活、あるいは親戚・知人宅に身を寄せながら、自分の将来を考え、最終的には決断しなければならない。こうした人々の思いに応えるには、第2段階では長期にわたって地元に張りついて活動する中間支援組織や専門家集団が不可欠である。

しかしながら、長期にわたる現地での活動は無償ではできない。この活動資金をいかに確保するかが今後の大きな課題である。市町村や県という自治体や国の負担もありえるが、３極構造形成のためにはこの資金は中越同様の自由度の高いものであることが望ましい。これには復興基金のような財団方式の活用は一つの方策であるが、企業や市民という完全に民間からの寄付にも期待したい。

東日本大震災の寄付に関し、阪神・淡路大震災や中越地震の時との大きな違いは、「被災者のために役立てて下さい」という漠とした目的ではなく、明確な目的、意図をもった活動に対して市民や企業から寄付が集まり始めていることである。活動に積極的に関与する企業も出てきている。お金の流れが明らかに変わっている。

したがって、中間支援組織や専門家集団について、どこも同じように資金が確保できるのではなく、企業や市民に対し明確な目的や意図を示す中間支援組織や専門家集団が飛び抜けた活動ができる可能性が生まれている。インターネットの時代、世界から資金を集めることもできよう。これは明らかに「新たな公」の生み出しといえる。

東日本大震災の復興では、わが国において全く新しいお金の流れが生まれることを期待したいし、それを目指したい。

中越防災安全推進機構の東日本大震災被災地支援

「東日本大震災ボランティアバックアップセンター」の開設

中越地震発災から7年の歳月が流れ、中越防災安全推進機構の設立から5年余の歳月が流れようとしている。この間、新潟・福島豪雨災害、平成18年豪雪災害、中越沖地震など度重なる激甚災害を経験した中越（長岡）では、今後の災害に備えて地域の関係機関による「被災時対応検討会」を何度となく開催し議論を重ねてきた。

平成23年3月11日に発生した未曽有の大災害「東日本大震災」に際して17日、その「被災時対応検討会」のメンバーが参集して、被災地支援の中核となる「東日本大震災ボランティアバックアップセンター」[1]を開設、被災地支援を開始した。

このバックアップセンターでは、中越防災安全推進機構・地域防災力センターを中心に被災現地から収集した情報を、被災地へ向かうボランティアに提供するとともに、現地で支援活動を行う中間支援団体をサポートし、必要な救援物資を迅速に収集・提供するなどの対応を実施した。

同時に、東日本大震災の避難所が長岡市内に開設されたことに伴い、被災者への支援活動を行うボランティアの確保・調整を行うため、長岡市社会福祉協議会が主体となって「長岡災害支援ボランティアセンター」を立ち上げ、「被災時対応検討会」の構成メンバーと連携し、協働型で運営を実施してきた。

また、福島県郡山市に開設された避難所「ビック・パレット」（最大時2、000人の避難者を収容）では、中越防災安全推進機構・復興デザインセンター（前身は「中越復興市民会議」）の人材を派遣し、中越大震災の経験と知見を生かして、大規模避難所の環境改善のため運営マネジメント支援を実施してきた。

一方、東日本大震災の翌日、3月12日に発生した長野県北部地震（長野県栄村・新潟県津南町・十日町市・上越市）は、東日本大震災の影に隠れているが、中山間地を襲った直下型地震としての規模は大きく、特に雪解け後に被害の大きさが顕著になっていた。地震からの復旧・復興を支援すべく、地元NPOなどで結成した、栄村復興支援機構「結い」のメンバーとして復興デザインセンターを中心に支援活動を継続している。

「ボランティアバックアップセンター」から「復興支援センター」へ

中越防災安全推進機構では、中越大震災で得られた経験あるいは知見などを東日本大震災の被災地で生かしていくため、発災から4カ月目を迎える7月11日に「バックアップセンター」を発展的に解消する形で「東日本大震災・復興支援センター」を開設した。

この「東日本大震災・復興支援センター」を通じて関係機関と協議し、中越大震災からの復旧・復興を支えてきた人材（有識者・学識者・地域復興支援員・機構職員など）の派遣、あるいは、被災地連携による人的交流の促進などの支援を継続的に実施している。

その一つが、岩手県陸前高田市にある広田半島内に建設された仮設住宅の運営支援である。仮設住宅は、オートキャンプ場（モビリア）に建設されているが、ここを地域の復興拠点として整備し、地域住民のニーズを拾う協働作業を開始した。

今後も中越地震被災地と類似した過疎地域を対象とした、息の長い復興支援に取り組む方針だ。

【(1)の構成員】㈳長岡青年会議所、長岡市社会福祉協議会、長岡市危機管理防災本部、長岡市国際交流センター、日越コミュニティセンター、㈳中越防災安全推進機構、NPO法人住民安全ネットワークジャパン、NPO法人ながおか生活情報交流ねっと、NPO法人多世代交流館になニーナ、NPO法人にいがた災害ボランティアネットワーク、中越市民防災安全士会

あとがき

新潟日報本紙に昨年秋から今年にかけて連載された「山里の行方」に始まる、企画シリーズを久しぶりに読み直して小さな驚きがあった。

このシリーズは、中越大震災7周年へ向けた今回の出版構想を意識し、地域の課題をあらためて整理しようと企画されたものだった。

その構想自体が、東日本大震災の発生によって大きく見直しを迫られることになった。深刻な原発事故を含み、「未曽有の」という形容詞を伴う災害のレベルを超える大事件である。人々の価値観や生き方にまで影響を与えるだろうアフター3・11の出版に、それ以前に取材執筆された記事はそぐわないのではないか。正直言ってそのような不安があった。

だが、その不安は杞憂(きゆう)だった。さらに言うなら新聞掲載時よりも、この大災害から半年近くを経過して読んだ時の方が、一つ一つのエピソードや、それが突き付ける課題がよりリアルに感じられる。それが意外だった。

これはどういうことなのだろう。連載シリーズの狙いは、復旧、復興の段階を経た被災地が迎える「新たなステージ」の展望と課題。具体的に言うなら、地域の再生モデルの構築と、次世代モデルとしての全国への発信の可能性を探りたいというものだった。その、背伸びした構想と、東日本大震災が突きつける価値観の転換という大テーマが、どこかで共鳴しあっているのだと思わざるを得ない。それは、両災害を取材した記者による座談会や中越防災安全推進機構によるリポートなどからも感じとれるものだ。

災害は、その地域が抱える潜在的課題を顕在化させ、未来の問題を現在化させる。「中越」においてそれは、高齢化であり中山間地のコミュニティー維持だった。「東日本」では、「この国の形」そのものの問い直しまでを迫る。そして、両者の課題は深く関わっている。

一つは自然とどう向き合うのか、何をもって幸せと考えるのかという思想の側面。そしてもう一つは、新しい考え方に基づいた持続可能な社会をどうつくり上げていくかという仕組みの問題、言葉を変えるなら政治の側面だ。

「非効率な」里山や里海の集落を復興することの意味が今後、東日本被災地の復興でも問い直されることは必至だろう。分権の重要性が言われる中で、防災、救援、復旧を含む広義の安全保障を保つため強力な国家組織が機能することの重要性も思い知らされた。その一方、国による縦割りの規制を乗り越え、その地域に生きようとする人たちを支える新たな自治の姿の模索も進めなければならない。

「中越」の経験を「東日本」に生かそうという言い方が良くされるし、私たちも使う。だが、「これから」も含む「東日本」の経験、チャレンジが「中越」、さらにはあらゆる地域社会の再生にも生かされるはずだし、そうであることを願いたい。私たちが今回の大震災の被災地に記者を派遣し続け、中越防災安全推進機構が「東日本」の復興にも強く関わろうとしているのも、根底にそのような思いがあるからだ。

「中越」を考える3回の企画シリーズが終わったのが3・11その日だったことは決して偶然ではないと思える。この二つの災害をつなぐものの意味を考え続けることが、犠牲となったあまりにも多くの方々の御霊に応えるため、新潟の地からできることの一つではないかと感じている。

2011年9月

新潟日報社編集委員室長　鈴木聖二

中越から東日本へ　震災復興とその未来

2011（平成23）年10月23日　初版第1刷発行

■編　著　中越防災安全推進機構
　　　　　新潟日報社

■発　行　新潟日報事業社
　　　　　〒951-8131　新潟市中央区白山浦2-645-54
　　　　　TEL 025-233-2100
　　　　　FAX 025-230-1833
　　　　　http://nnj-book.jp

■印刷所　新高速印刷

定価はカバーに表示してあります。
落丁・乱丁本は新潟日報事業社あてにお送りください。
送料は事業社負担にてお取り替えいたします。
ISBN978-4-86132-476-5